René Geffroy - Dominique Lo Cascio - Ma~~rtine~~

LA CLÉ DES CHAMPS

1

MÉTHODE DE FRANÇAIS

CAHIER D'EXERCICES

Larousse | Français langue étrangère

27, rue de la Glacière 75013 Paris
Présentation et vente aux enseignants :
18, rue Monsieur Le Prince 75006 Paris

Illustrations : GABS
Maquette : Envergure
Iconographie : Atelier d'Images
Édition : Corinne BOOTH-ODOT

Avant-propos

Ce cahier fait partie de l'ensemble de la méthode LA CLÉ DES CHAMPS ; son objectif est surtout de développer des compétences de compréhension et d'expression écrite.

Il contient donc en situation propre à l'écrit des activités de grammaire, de vocabulaire, de conjugaison, d'orthographe, de compréhension et d'expression ; elles sont destinées à un travail individuel.

La première unité est différente. Elle présente, sous forme de tableaux, les principales marques graphiques et orthographiques du français et propose des activités d'observation, de repérage de signes et d'indices, sur des textes qui ne sont pas destinés à être compris.

Deux bilans après les unités 6 et 12 permettent de faire le point sur les acquisitions.

L'ALPHABET GRAPHIQUE

En français, on emploie le masculin pour désigner les lettres : le a, le c.

A	**a**
B	**b**
C	**c**
D	**d**
E	**e**
F	**f**
G	**g**
H	**h**
I	**i**
J	**j**
K	**k**
L	**l**
M	**m**
N	**n**
O	**o**
P	**p**
Q	**q**
R	**r**
S	**s**
T	**t**
U	**u**
V	**v**
W	**w**
X	**x**
Y	**y**
Z	**z**

LES LETTRES : a, b, c.

LES SYLLABES : pa-ru-tion

LES MOTS : une - table

LES PHRASES : Il fait beau. Le ciel est bleu.

LES PARAGRAPHES :

1 { Aujourd'hui, formations et secteurs d'activité sont en permanente évolution. De nouveaux métiers se créent, d'autres se transforment : les compétences s'affinent, les exigences deviennent multiples.

2 { Dans ce contexte, l'avenir est à ceux qui analysent et anticipent les nouvelles données d'un jeu sans cesse plus complexe.

3 { *Le Monde Initiatives* a été créé pour eux, cadres et étudiants.

LES SYLLABES

- Une consonne entre deux voyelles introduit une nouvelle syllabe : ra-pi-de.
- Deux consonnes placées entre deux voyelles : la première appartient à la syllabe précédente, la seconde à la syllabe suivante : ar-gent sauf l ou r, précédés d'une consonne autre, qui forment avec cette consonne un groupe inséparable : li-bre ; no-ble.
- Les groupes ch, ph, gn, th sont inséparables : a-che-ter ; a-gneau.
- Trois consonnes consécutives : les deux premières terminent une syllabe, l'autre commence une syllabe : ins-truit ; obs-ti-ner.

LA CÉSURE

(coupure d'un mot à la fin d'une ligne).

La séparation se fait entre deux syllabes et s'indique par un tiret :   inca-   ins-
                                          pable   truit

LES SIGNES ORTHOGRAPHIQUES

Les accents
- l'accent aigu qui se met en général sur le e :
  blé, été
- l'accent grave qui se met sur e et sur a :
  frère, à
- l'accent circonflexe sur a, e, i, o, u :
  bâtir ; tête ; dû
- le tréma se met sur les voyelles e, i, u pour indiquer que dans la prononciation on les détache de la voyelle qui les précède ou qui les suit :
  haïr

La cédille

Elle se place sous c devant a, o, u pour indiquer que c doit être prononcé comme [s] :
leçon

L'apostrophe

Elle se place en haut et à droite d'une lettre pour marquer l'élision de a, e, i :
l'arme, d'abord

Le trait d'union

On le met :
- entre les éléments de mots composés :
  arc-en-ciel
- entre le verbe et le pronom personnel (placé après) :
  dit-il
- entre le pronom personnel et l'adjectif :
  moi-même
- devant les particules, ci, là :
  celui-ci, cet homme-là

LES MAJUSCULES

En français on emploie les majuscules :
- au premier mot d'une phrase
- dans les noms propres en général :
  Jean - la Belgique.

Remarque : les noms de jour et de mois prennent une minuscule : *lundi 3 mai.*

LES SIGNES DE PONCTUATION

Le point : **.**
Le point d'interrogation : **?**
Le point d'exclamation : **!**
La virgule : **,**
Le point-virgule : **;**
Les deux points : **:**
Les points de suspension : **...**
Les parenthèses : **(........)**
Les guillemets : **« .... »**

東籬夢

對外國人而言，擁有一個前花園或後花園，或是兩者兼備，一點也不稀奇。在香港，自是奢侈的夢想，往那兒找到這樣的居所？半山別墅、郊區花園，不是尋常百姓可住，也有移到離島覓此理想，有幾位朋友便是如此。人生有何求，都說努力工作之外，望有一處可呼吸新鮮空氣，可種植一點花草荣果的家園，有些甚至降低一點要求，只要庭園前方有一片小草坪便滿意。

УЧЕБНОЕ ПОСОБИЕ ДЛЯ III КЛАССА ШКОЛ С УГЛУБЛЕННЫМ ИЗУЧЕНИЕМ ФРАНЦУЗСКОГО ЯЗЫКА

Рекомендовано Министерством просвещения РСФСР

DIEPPE, en automne, n'a pas, à proprement parler, des allures de station balnéaire. Les passagers de l'été sont depuis longtemps repartis vers leur dur boulot mériter des congés payés qui leur permettront de replonger dans l'eau glacée de leurs futures vacances.

לא נעצור

ביצוע: ירדנה ארזי
מילים: יורם טהרלב
לחן: נורית הירש
עיבוד: אורי קריב

לָנוּ קוֹרְאִים הַמֶּרְחַקִּים
הַפְּתוּחִים הָאֲרֻכִּים.
הֶהָרִים הָעֲמֻקִּים –
לֹא נֵעָצֹר!
זוֹ הָרִיצָה שֶׁאֵין לָהּ סוֹף,
אֵין לָהּ בַּיִת אֵין לָהּ חוֹף.
רַק לְהַגִּיעַ רַק לִשְׁאֹף –
לֹא לַעֲצֹר!

راندي بارنس يتعاطى المنشطات

أبلغ الاتحاد الدولي لألعاب القوى الاتحاد الأميركي للعبـة نتائج البحث الطبي الذي أجري على الأميركي راندي بارنس. في آب (أغسطس) الماضي. راندي بارنس حامل الرقـم القياسي العالمي ويعتبر الحديثة في رمي الكرة الحديدية (٢٣.١٢م) حيث اتهم بتناول المنشطات. وسيعلـن الاتحاد الأميركي عن نتائـج الفحص في الأيام القريبة المقبلة.

Observez ces textes :

Quel est celui qui ressemble le plus à un texte écrit dans votre langue maternelle ? Pourquoi ?
Quel est celui qui est le plus différent ?

Ng pays est ou le cigne Vieil chante
Quant ope le son de la harpe accordante
En se accordant en son palutz marin
Comme la fleuste auec le tabourin
Et mesmement en lan que mort ennie
A par rigueur ne se laisse en Vie
Aussi lon dit dung doulx Begnin enfant
Qui a lengin subtil et triumphant
Quil ne Viura pas longuement, et poulce

□ **Architecture commerciale et urbanisme.** - Deux ministères (celui du Commerce et celui de l'Équipement) et la délégation interministérielle à la Ville, organisent, le 18 octobre, un colloque axé sur les entrées de villes. Il s'agit de savoir comment améliorer la qualité de sites défigurés par l'implantation anarchique et proliférante de commerces divers et concilier efficacité commerciale et harmonie urbaine.

On a découvert ces jours derniers, aux environs du Louvre, un animal féroce, extrêmement dangereux ; les naturalistes assurent que c'est le même que les anciens nommoient *Ministere*. Il a la voix séduisante, la démarche tortueuse ; tout ce qu'il prend se change en venin ; sa figure, quoiqu'attrayante, inspire l'effroi. Il tâche d'endormir ceux qu'il veut dévorer, & il ne se sent pas plutôt assoupi, qu'il les met en pieces. Il commet de grands dégâts depuis quelques mois. On s'est apperçu qu'il a un goût dominant pour les fruits

Dites à quel siècle appartiennent ces textes.

13e siècle ?   16e siècle ?   19e siècle ?   20e siècle ?

Quelles sont les différences ?

Aumomentoùlarouteatteignait
lesommetilfitunmouvementbrusque
quiprovoqualaccidentilnyeutpasde
victimesmaistoutlemondeeuttrès
peuretiljuradenepasrecommencer

Pourquoi ce texte est-il illisible en français ?

Indiquez les lettres de l'alphabet français qui ne figurent pas dans ces sacs.

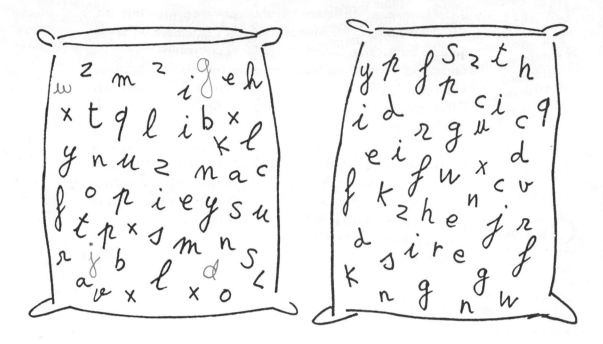

Quelle est la phrase où figurent toutes les lettres de l'alphabet français ?

Which sentance uses all of the letters in the alphabet?

1. Du wagon, on voyait les mouettes qui faisaient d'étranges bonds.
2. Elles aimaient écouter des disques de jazz avant de s'endormir.
3. Servez ce whisky aux petits juges blonds qui fument.
4. Swann tira d'un sac un pli et y inscrivit son nom en zig-zag.

Il avait baissé la voix, il lui parlait dans le cou, tandis qu'elle s'ouvrait un chemin, son panier en avant. Mais elle dit encore non, de la tête, à plusieurs reprises. Pourtant, elle se retournait, lui souriait, semblait heureuse de savoir qu'il ne buvait pas. Bien sûr, elle lui aurait dit oui, si elle ne s'était pas juré de ne point se remettre avec un homme. Enfin, ils gagnèrent la porte, ils sortirent. Derrière eux l'Assommoir restait plein, soufflant jusqu'à la rue le bruit des voix enrouées et l'odeur liquoreuse des tournées de vitriol. On entendait Mes-Bottes traiter le père Colombe de fripouille, en l'accusant de n'avoir rempli son verre qu'à moitié. Lui, était un bon, un chouette, un d'attaque. Ah ! zut ! le singe pouvait se fouiller, il ne retournerait pas à la boîte, il avait la flemme. Et il proposait aux deux camarades d'aller au *Petit bonhomme qui tousse*, une mine à poivre de la barrière Saint-Denis, où l'on buvait du chien tout pur.

Zola, *L'Assommoir*.

Observez ce texte :

Quelle est la voyelle la plus fréquente ? La moins fréquente ?

Quelle est la consonne la plus fréquente ? La moins fréquente ?

Est-ce la même chose dans votre langue ?

Ayant compris qu'il divaguait quand il croyait concourir à la formation d'un grand savant futur, Augustus s'agaçait du pouvoir quasi nul qu'il paraissait avoir sur la vocation du garçon. Puis, modifiant son tir, il constata, surpris, mais aussitôt ravi, qu'Haig trouvait dans l'art musical un plaisir toujours vrai. On l'avait surpris crachotant dans un tuba dont il tira un son pas tout à fait discordant. Il harmonisait non sans intuition. Il avait surtout pour la chanson un goût distinctif. Il n'oubliait aucun air pourvu qu'on lui jouât ou qu'on lui chantât trois fois.

Georges Perec, *La Disparition*. Éd. Denoël.

Quelle(s) lettre(s) de l'alphabet français ne figure(nt) pas dans ce texte ?

SGANARELLE. — (...) "Osez-vous bien ainsi vous jouer du ciel, et ne tremblez-vous point de vous moquer comme vous faites des choses les plus saintes ? C'est bien à vous, petit ver de terre, petit mirmidon que vous êtes (je parle au maître que j'ai dit), c'est bien à vous à vouloir vous mêler de tourner en raillerie ce que tous les hommes révèrent ? Pensez-vous que pour être de qualité, pour avoir une perruque blonde et bien frisée, des plumes à votre chapeau, un habit bien doré, et des rubans couleur de feu (ce n'est pas à vous que je parle, c'est à l'autre), pensez-vous, dis-je, que vous en soyez plus habile homme, que tout vous soit permis, et qu'on n'ose vous dire vos vérités ? Apprenez de moi, qui suis votre valet, que le ciel punit tôt ou tard les impies, qu'une méchante vie amène une méchante mort, et que..."
DOM JUAN. — Paix !

Molière, *Dom Juan*

On sait qu'à dix-huit ans, Douglas Haig passa, non sans mal, son bachot, puis qu'il prit son parti. Son propos mûrit. Un jour, il accosta Augustus lui disant :
— Moi aussi, j'aboutirai à la Scala. Baryton, voilà ma vocation !
— Il y a loin d'Arras à Milan, sourit Augustus.
— *Labor omnia vincit improbus*, dit Haig, montrant qu'il s'acharnait.
— Tu l'as dit, bouffi, riposta Augustus.
— Mais Papa ! s'indigna Haig qui n'avait aucun humour.
— Allons, fiston, l'apaisa Augustus. J'applaudis à ton obstination. Mais il faut auparavant fournir un travail colossal, sortir triomphant d'un tas d'ardus concours ! Où irait-on si tout un chacun s'introduisait d'un coup à la Scala ?

Georges Perec, *La Disparition*, Éd Denoël.

Faites l'inventaire des signes de ponctuation et orthographiques utilisés dans ces textes.

Comparez avec votre langue maternelle en indiquant les différences et les similitudes.

À bord
d'un cinq-mâts

Lancé en janvier 1990 au Havre, exploité ensuite aux Antilles puis en Méditerranée, le bateau du Club Méditerranée, le *Club Med I*, vient de regagner son port d'attache hivernal d'où il croisera, jusqu'au 4 mai, dans les Caraïbes. Au programme, deux croisières d'une semaine, au départ de Fort-de-France. L'une vers le nord, dans les îles Vierges, avec escales aux Saintes, à St-Barth, à Virgin, Gorda, Jost, Van Dyko, St-Thomas et St-Kitts. L'autre vers le sud, à travers les Grenadines, avec escales à Bequia, Tobago-Cays, Grenade, la Barbade, Mayeiro, Mustique et Sandy-Island. Avec la possibilité d'enchaîner l'une et l'autre.

Le Monde, 13.10.90.

"À l'origine, la Villa Falbala *n'a été conçue qu'à mon propre usage, pour expérimentation. Cela m'amusait de construire quelque chose pour moi-même, pour y converser avec un ami, une sorte de pavillon de chasse. Un abri aussi, pour le Cabinet logologique. C'est après coup que j'ai imaginé le jardin, puis les murs autour du jardin. Mais c'est devenu un peu voyant, malgré ces remparts, que je croyais plus hauts. Maintenant, on me demande d'admettre quelques visiteurs. On est rattrapé, il faut toujours courir"*, confiait Jean Dubuffet dans *Le Monde* à Michel Conil-Lacoste, qui prévoyait : *"Dans deux ans, on ira en autocar"*. C'était le 28 septembre 1973, à l'achèvement de *Falbala*.

Le Monde, 13.10.90.

Relevez les différents types d'accents. Dites sur quelles lettres on les trouve.

Comparez avec votre langue maternelle.

Relevez les mots où vous trouvez une apostrophe.

Quelles sont les lettres remplacées par les apostrophes ?

Comparez avec votre langue maternelle.

Dieppe s'accroche avec énergie à sa réputation : "Poisson dieppois, poisson de choix."

Mais, la formule ne suffit plus. Si proche de la région parisienne et même de Brighton, la riche et puissante cité anglaise qui lui fait face de l'autre côté du Channel, Dieppe se prend à rêver de l'autre Normandie, la Côte fleurie, Deauville, Cabourg...

Dieppe a pourtant de la passion qui coule dans les veines, celle qui transforma l'ivoire et les épices que ses navigateurs commencèrent à rapporter dans leurs cales à la fin du dix-neuvième siècle. Poivre, safran, muscade, cannelle, gingembre, ont inondé l'arrière-pays et des villes voisines comme Fécamp, où le moine Vinc... a élaboré l'élixir devenu aujourd'hui Bénédictine. L'ivoire d'Afrique a lui aussi, été débarqué à Dieppe pendant plusieurs siècles pour y être travaillé.

Le Monde, 13.10.90.

Relevez tous les noms qui commencent par une majuscule.
Quand utilise-t-on les majuscules en français ?
Comparez avec votre langue.

La césure

Gastronomes, les Français consomment toujours davantage de produits surgelés. En 1989 ils ont absorbé 1,3 million de tonnes de produits surgelés. Au premier semestre 1990, cette croissance s'est poursuivie avec une augmentation des ventes de 14 %.

La progression la plus forte est enregistrée par les préparations élaborées. L'industrie des produits surgelés regroupe 1500 établissements (fabrication et entrepôts frigorifiques), emploie près de 30 000 personnes et réalise un chiffre d'affaires de près de 27 milliards de francs.

Faites l'inventaire des mots coupés à la fin de chaque colonne du texte.
Comment fait-on pour couper un mot en français ?
Est-ce la même chose dans votre langue ?
Indiquez les similitudes et les différences.

La mélodie de la phrase

L'INTERROGATION (4-1)

Dans l'interrogation, il y a un mot interrogatif, la mélodie descend.

```
4
3
2
1
```

LA QUESTION (2-4)

Dans la question, il n'y a pas de mot interrogatif, la mélodie monte.

```
4
3
2
1
```

1. Indiquez si la mélodie monte (⌐↗) ou descend (↘).

Ça va bien ? ( )   Comment allez-vous ? ( )   Ça ne va pas ? ( )

Comment elle va ? ( )   Ça va mieux ? ( )   Comment vas-tu ? ( )

2. Indiquez si la mélodie est 2-4 ou 4-1.

Elle vient ? ( )   Est-ce que vous ? ( )   Ça ne va pas mieux ? ( )

Est-ce qu'elle vient ? ( )   On reste là ? ( )   Comment va-t-elle ? ( )

3. Dessinez la courbe de la mélodie et faites le geste correspondant.

```
4
3
2
1
   Est-ce que ça va ?   Ça va mieux ?   Comment vas-tu ?   Tu viens ?
```

Jouez juste !

À la base d'un son, il y a un mouvement. Si le mouvement est juste, le son est juste.

1er mouvement : l'ouverture de la bouche. En français, il y a **4** ouvertures.

4. Observez. Remplacez la voyelle des mots diapasons par la voyelle plus ouverte (vers le bas), plus fermée (vers le haut).

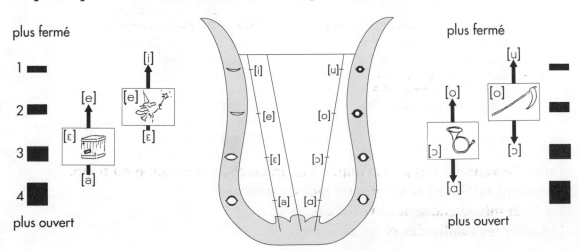

La mélodie de la phrase

LA FINALITÉ (2-1)

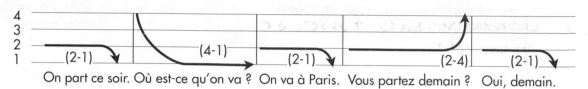

On part ce soir.   Où est-ce qu'on va ?   On va à Paris.   Vous partez demain ?   Oui, demain.

1. Indiquez si la mélodie monte ou descend ↗ ↘ ↘.

On vous attend.   (   )   Est-ce qu'on peut descendre ? (   )   On va chez Papi.   (   )
Vous venez demain ? (   )   On part ?   (   )   Au revoir monsieur.   (   )

2. Indiquez si la mélodie est 4-1, 2-1 ou 2-4.

Elle se lève ?   (   )   Est-ce qu'elle peut sortir ?   (   )   Elle va mieux.   (   )
On se connaît bien.   (   )   Elle n'a pas froid ?   (   )   Où vas-tu ?   (   )

3. Dessinez la courbe de la mélodie et faites le geste correspondant.

4			
3			
2			
1			

Où est-ce qu'il va ?   Il va chez Mamie.   Mamie va mieux ?   Oui, elle se lève.

Jouez juste !

À la base d'un son, il y a un mouvement. Si le mouvement est juste, le son est juste.
2e mouvement : les lèvres : tirées, arrondies

4. Observez. Prononcez pour chaque ouverture A - B puis B - A.

Attention ! Sentez bien le mouvement des lèvres. Quelle est la différence entre A et B ?

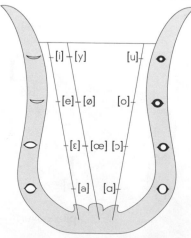

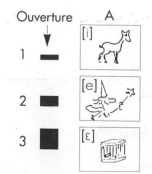

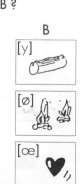

Les lettres de l'alphabet : les voyelles *a, i, o,*
A, I, O,
a, i, o,

1. **Cherchez des mots où la lettre a :**

• se prononce [a].

Le café ....

• ne se prononce pas [a].

J'ai un enfant ....

2. **Lisez ce petit texte.**

• Soulignez la lettre i qui se prononce [i].
• Barrez la lettre i qui ne se prononce pas [i].

> Odile, ma petite Odile
> Où t'en vas-tu ce soir ?
> Il fait si noir dehors
> Odile, mon Odile
> Il fait si bon dedans
> Mais j'ai si froid sans toi
> Odile, Odile,
> Si tu t'en vas je serai triste
> Odile, Odile
> Dis-moi au moins bonsoir !

3. **Cherchez deux mots où la lettre o se prononce [ɔ]. Imaginez un dessin pour expliquer les mots.**

Dial⬭gue | *c⬭r*
.... | ....

• Cherchez deux mots où la lettre o se prononce [o].
Imaginez un dessin avec o pour expliquer les mots.

Charl⬭t | *p⬭t*
.... | ....

Du mot au texte

1. Séparez les mots des phrases.

Pierrearriveàmidi.
Onnepeutpasvenircesoir.
Est-cequ'onpeuttraverserici ?
Asseyez-vouss'ilvousplaît.

Pierre arrive à midi.
On ne peut pas venir ce soir.
Est-ce qu'on peut traverser ici ?
Asseyez-vous s'il vous plaît.

2. Voici deux textes sans points, mettez-les. Mettez aussi les majuscules.

Un message télécopié (un fax)

> 28-02-91 01-53 PM - SOMESA ESP 3499267
>
> Monsieur le directeur est absent il ne peut pas vous recevoir demain pouvez-vous téléphoner pour un rendez-vous ultérieur
>
> Poste appelé 56 243 001   1991-02-28 14 : 04 bien reçu

Un télégramme

> Éric malade ne peut pas venir chez vous le 10 téléphonez-nous bises Marie

Conjugaison

3. Faites deux phrases semblables aux modèles proposés.

• **Vous parlez à la 1re personne : je**
Vous écrivez ce que vous faites. *Je pars pour Paris.*

Je suis de Briarcliff.

Vous demandez ce que vous pouvez faire. *Est-ce que je peux...*

Est-ce que je peux faire mes devoirs.

Observez ! À la 1re personne, le verbe se termine par : [s] ou [~~x~~]

• **Vous parlez à la 2e personne : tu**
Vous demandez ce que la personne fait. *Est-ce que tu restes ?*

Est-ce que tu écoutes ?

Observez ! À la 2e personne, le verbe se termine par : [es] ou [s]
Vous dites de faire quelque chose. *Attends !*

Écoutes ! Oublies !

Observez ! À la 2e personne (tu) le verbe se termine par : [es] ou [~~x~~ s]

• **Vous parlez à la 2e personne : vous**
Vous demandez ce que la personne fait. *Est-ce que vous restez ?*

Est-ce que vous rencontrez.

Vous dites de faire quelque chose. *Attendez !*

Écoutez.

Observez ! À la 2e personne (vous), le verbe se termine par : [ez]

Des mots pour écrire

4. **Regardez le dessin pendant 10 secondes, puis cachez-le.**

• Vous avez une minute pour écrire le plus de noms d'objets possible.

....

....

Jeux et énigmes

5. **Remplissez les grilles :**

avec les nombres de 1 à 12.

avec les mots grammaticaux (articles, possessifs, négation).

Masculin ou féminin ?

7. **Lisez ces formules. Elles sont à la fin d'une lettre ou d'un faire-part. Qui écrit ? Un homme ou une femme ?**

Écrivez ☐F pour une femme, ☐H pour un homme, ☐? quand vous ne savez pas.

Ton ami,
Paul **H**

Ton amour,
Claude **?**

Votre mère,
Marie **F**

Sa Sainteté
le pape Jean-Paul II
Johannes Paulus II **H**

Votre ami,
Jean **H**

Salutations,
JReinter **?**

Sa Majesté
la reine des Pays-Bas
Juliana 1 **F**

Amitiés, **?**

Les adjectifs possessifs

8. **Complétez les titres des livres avec les mots du sac.**

mon son
son sa
son mon
votre
sa ma

MONIQUE LAFON
**Mon enfant,
ma douleur,
mon bonheur**

Marie Higgins Clark
NE
PLEURE
PAS
Mon.
BELLE

Joseph Joffo
ANNA
ET
Son
ORCHEST

J. d'Ormesson
DIEU
Sa
VIE
Son
ŒUVRE

SISSI
FACE
À
Son
DESTIN

TOUT
FAIRE
DANS
Sa
MAISON

A. MIQUEL
L'ISLAM
ET
Sa
CIVILI-
SATION

9. **Écrivez le nom de ces personnages.**

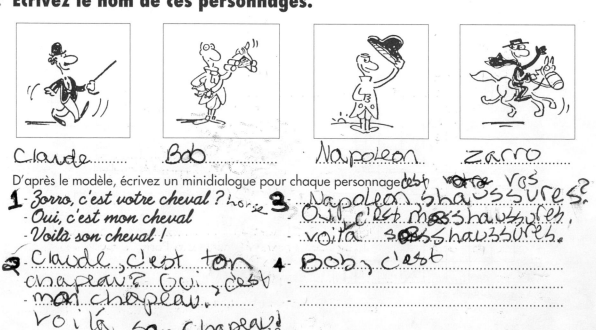

Claude   Bob   Napoléon   Zorro

D'après le modèle, écrivez un minidialogue pour chaque personnage. c'est votre vos

1- *Zorro, c'est votre cheval ?* horse
- *Oui, c'est mon cheval*
- *Voilà son cheval !*

3 Napoléon, chaussures ?
- Oui, c'est mes chaussures.
- Voilà ses chaussures.

2- Claude, c'est ton chapeau ? Oui, c'est mon chapeau.
- Voilà son chapeau !

4 Bob, c'est

Aller à / partir de

Londres — 2 h 30 — Rotterdam — 2 h 15 — 3 h — Cologne — Francfort — 1 h 40 — Stuttgart — 1 h 44 — Paris — 2 h — Strasbourg — 1 h 14 — Munich — 2 h 58 — 4 h 15 — Berne — Bordeaux — 3 h — Marseille

10. Répondez.

• Vous allez à Strasbourg en 2 heures. Où est-ce que vous êtes ?

Je suis à Paris

• Elle va à Marseille en 5 h 30. Où est-ce qu'elle est ?

Elle va à Londres

• On va à Rotterdam en 5 h 13. Où est-ce qu'on est ?

On va / Je suis Bordeaux

• Tu vas à Paris en 4 h 15. Où est-ce que tu es ?

Je suis à Berne

• Pour aller à Munich en 1 h 44, d'où est-ce que vous partez ?

Je suis en Stuttgart. Je pars de Stuttgart.

• Pour aller à Cologne en 6 h, d'où est-ce que tu pars ?

Je pars de Marseille.

• Pour aller à Berne en 6 h 45, d'où est-ce qu'il part ?

Il pars de Londres.

• On est à Paris. Où est-ce qu'on va en 3 h 14 ?

On va à Stuttgart.

• Tu es à Bordeaux. Où est-ce que tu vas en 5 h 58 ?

Je va à Marseille.

• Amédée part de Paris à 10 heures. À quelle heure arrive-t-il à Londres ?

Il va arrive à 12 h 30.

• Chez qui va-t-il ?

Il va chez Margaret.

• Margaret part de Londres à 8 heures. Elle attend 1 h à Paris. À quelle heure arrive-t-elle à Bordeaux ?

Elle arrive à 2 h 58 Elle arrive

• Chez qui va-t-elle ?

Elle va chez Bob.

• Marius part de Marseille à 11 heures. Il attend 10 minutes à Paris. À quelle heure arrive-t-il à Cologne ?

Il arrive à 5 h 10.

• Chez qui va-t-il ?

Il va chez Frederick.

Programme télé

Sur Antenne 2
13.00 JOURNAL
Les informations de la mi-journée

Sur TF1
8.45 SALUT, LES PETITS LOUPS ! *wolf*
Une émission pour les enfants

Sur Antenne 2
22.20 LES ENFANTS DU ROCK
Une émission de rock pour les jeunes *younes*

Sur la 5
20.00 JOURNAL
Les actualités du soir

1. Lisez les programmes ci-dessus.

• Indiquez l'émission et la chaîne correspondante (A2, TF1, la 5) à l'horaire indiqué.

Horaires : 8 h 45   Émission : *Salut les petits Loups*   Chaîne : *TF1*
13 h 00   *le Journal*   *A2*
20 h 00   *le Journal*   *la 5*
22 h 20   *les Enfants du rock*   *A2*

• À quelle heure et sur quelle chaîne (à votre avis), donne-t-on les informations ci-dessous ?

Rock du 8 au 15 mai **le groupe TÉLÉPHONE à Paris** *A2* *10h20*

Attention aujourd'hui le film Astérix et Cléopâtre *TF1* *8h45*

Moscou M. Gorbatchev rencontre M. Mitterrand *la 5* *8h*

Froid sur la France la température descend encore *- 19° ce matin* *A2* *1h*

Bravo pour les clowns, les clowns à l'honneur. Le rire et l'émotion pour nos petits. *TF1* *8h45*

America's cup Départ demain matin. *A2* *1h*

2. Vous êtes journaliste à la télévision, préparez par écrit votre présentation.

Sur Antenne 2 le journal de 13 h 00 :

1. Début — *Bonjour Madame. Bonjour Monsieur. Bienvenue sur Antenne 2. Voici votre journal de 13 heures.*

2. Informations — Donner ici les titres qui correspondent à l'émission choisie.

3. Fin — *Au revoir Madame. Au revoir Monsieur. Bonne après-midi sur Antenne 2. A ce soir 20 heures.*

À vous. Émission choisie :

1 Début : *Salut Les Enfants! Il à 8h45 c'est le film Astérix et cléopâtre*

2 Informations : *C'est amusant. nous rions. Regardons plus.*

3 Fin : *C'est excellent! Demain maitenant. Salut, Les petits Loups.*

N'oubliez pas... on peut dire

- Salut !
- Tchao !
- Bonjour, ça va ?
- Bonjour M., bonjour Mme.
- Bonjour les enfants !
- Salut, les jeunes !
- Au revoir.
- Bonsoir, bonne nuit.
- À demain, à bientôt.
- Je vous souhaite...
- Bienvenue sur...
- Bonne soirée. Bonne journée, etc.

Rhinocéros d'Eugène IONESCO

Le logicien

Le chat Isidore a quatre pattes (...). Frico aussi a quatre pattes. Combien de pattes auront Frico et Isidore ?

Le vieux monsieur

Huit, huit pattes.

Le logicien

J'enlève deux pattes à ces chats (...). Prenez une feuille de papier. Calculez (...). Combien de pattes restera-t-il à chaque chat ?

Le vieux monsieur

Attendez (...). Il y a plusieurs solutions possibles.

Le logicien

Dites. Je vous écoute.

Le vieux monsieur

Une première possibilité : un chat peut avoir quatre pattes, l'autre deux... Il peut y avoir un chat à cinq pattes. Et un autre chat à une patte. Mais, seront-ils encore des chats ?

Le logicien

Pourquoi pas ?

Le vieux monsieur

Nous pouvons avoir un chat à six pattes... Et un autre sans pattes du tout.

Eugène Ionesco, Éd. Gallimard.

• De quel texte s'agit-il ?

dialogue de théâtre ☐

poème ☒

roman ☐

• Combien de personnes parlent ? ....

• Qui propose l'énigme ? ....
• Qui est Frico ?

un homme ☐

un chat ☐

• Les solutions du vieux monsieur sont-elles logiques ? ....

• Combien de solutions propose-t-il ? ....

• Est-ce qu'il y a une autre solution ? ....

• Connaissez-vous Eugène Ionesco ? ....

• Quel est son métier ? ....

• Quelle est sa nationalité ? ....

• Quel est le titre de la pièce ? ....

1. Vous écrivez une lettre à une personne que vous connaissez.

Observez le modèle et répondez.

La personne qui écrit cette lettre
s'appelle ....
Elle habite à ....
Elle écrit à ....
qui habite à ....

adresse
de
l'expéditeur

Marseille, le 25. 11. 90 — date

Yves Blanchard
3, place Pereire
75017, PARIS

André Faure — adresse
3, rue du pont — du
22300 LANNION — destinataire

Cher André — en-tête

Nous sommes à Marseille depuis hier. Nous allons tous bien mais il ne fait pas beau. Nous pensons rentrer à Paris ce soir, en avion. Comment vas-tu ? Écris-nous ou téléphone-nous très vite pour nous dire si tu penses venir chez nous à Noël. Dans l'attente de tes nouvelles, reçois toutes nos amitiés — texte

Gertrude — signature

	oui	non
L'auteur de cette lettre :		
– donne de ses nouvelles	☐	☐
– demande des nouvelles	☐	☐
– raconte ce qu'il/elle fait	☐	☐
– demande au destinataire ce qu'il/elle fait	☐	☐

À vous ! La personne à qui vous écrivez :

C'est un homme ☐   C'est une femme ☐
C'est un membre de votre famille ? ☐   un ami ? ☐   une amie ? ☐
C'est un voisin ? ☐   un collègue de travail ? ☐   autre ? ☐
C'est ....

Ce que vous voulez dire :	oui	non
Vous donnez de vos nouvelles	☐	☐
Vous demandez des nouvelles de la personne à qui vous écrivez	☐	☐
Vous racontez ce que vous faites, ce que vous ne faites pas	☐	☐
Vous voulez savoir ce que fait la personne	☐	☐
Vous dites à la personne de faire quelque chose, de ne pas faire quelque chose	☐	☐
Vous proposez de faire quelque chose avec vous	☐	☐

ACTIVITÉS D'EXPRESSION ÉCRITE

Pour écrire votre texte :

Tu ou vous ?

	tu	vous
C'est une personne de votre famille	☐	☐
C'est une amie/un ami	☐	☐
C'est une relation sociale	☐	☐
C'est un responsable dans votre entreprise	☐	☐
C'est un collègue de travail qui a le même statut que vous	☐	☐

Pour commencer votre lettre :

**Indiquez d'une croix
les informations qui conviennent**

	homme	femme	je le/la connais		
			très bien	assez bien	un peu
Monsieur					
Ma chère maman					
Chère Jacqueline					
Mademoiselle					
Pierre chéri					
Chère Madame					
Ma chère amie					
Mon amour					

Pour terminer votre lettre :

	Je connais la personne		
	bien	assez bien	un peu
Je t'embrasse			
Grosses bises			
Reçois mes cordiales salutations			
Bien amicalement			
Recevez mes cordiales salutations			
Amitiés			

Écrivez votre lettre.

**Présentez-la comme le modèle (p. 22). Faites attention à l'ordre des informations,
à l'orthographe des noms, des verbes, à la ponctuation.**

La mélodie de la phrase

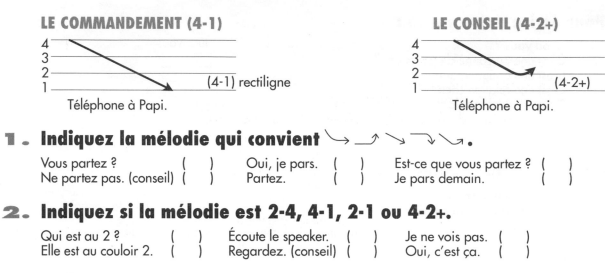

LE COMMANDEMENT (4-1)

4
3
2
1   (4-1) rectiligne

Téléphone à Papi.

LE CONSEIL (4-2+)

4
3
2
1   (4-2+)

Téléphone à Papi.

1. **Indiquez la mélodie qui convient ↘ ↗ ↘ ↘ ↘.**

Vous partez ?   (   )   Oui, je pars. (   )   Est-ce que vous partez ? (   )
Ne partez pas. (conseil) (   )   Partez.   (   )   Je pars demain.   (   )

2. **Indiquez si la mélodie est 2-4, 4-1, 2-1 ou 4-2+.**

Qui est au 2 ?   (   )   Écoute le speaker. (   )   Je ne vois pas. (   )
Elle est au couloir 2. (   )   Regardez. (conseil) (   )   Oui, c'est ça. (   )

3. **Indiquez la mélodie et faites le geste correspondant.**

4
3
2
1

Vous sortez ?   Ne sortez pas.   Attendez un peu. (conseil)   Non, je pars.

Jouez juste !

À la base d'un son, il y a un mouvement.   **3ᵉ mouvement :** la langue en avant ou en arrière
Si le mouvement est juste, le son est juste.

4. **Observez. Prononcez pour chaque ouverture : B-C, C-B puis B-A.**

Attention ! Sentez bien le mouvement de la langue et des lèvres.
Quelle est la différence entre B et C, B et A, A et C ?

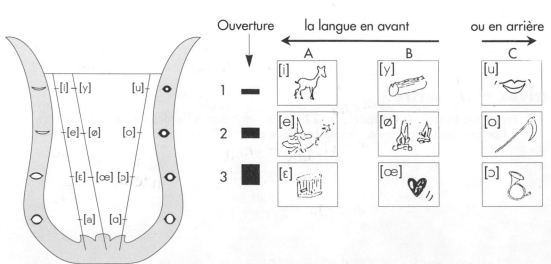

Les lettres de l'alphabet : la voyelle *u* U u

1. Lisez ce petit texte :

- Soulignez la lettre u qui se prononce [y].
- Barrez la lettre u qui ne se prononce pas [y].

> J'attendais, debout sur la dune, la lumière
> qui ferait surgir de la brume les bleus de la mer.
> J'attendais que la première mouette
> pousse son cri aigu pour saluer le jour.

Les consonnes

B	C	D	G	P	T	V	W
b	c	d	g	p	t	v	w
b	*c*	*d*	*g*	*p*	*t*	*u*	*w*

2. Prononcez les sigles (les lettres), puis trouvez le sens.

– TGV   Télévision

– BCG   Train à grande vitesse

– CGT   Confédération générale du travail

– TV   Bacille Calmette-Guérin, contre la tuberculose

3. On n'entend pas toujours : t, p, d ou c : *un mot.*
Soulignez t, p, d ou c quand on entend la lettre et barrez-la quand on ne l'entend pas.

J'ai cent ans

Je suis bien content d'être assis sur un banc

J'donne des coups de canne aux passants

J'ai encore mal aux dents

La souffrance, c'est très rassurant

ça n'arrive qu'aux vivants

J'attends, planté sur mon banc
et j'ai tout mon temps

J'ai cent ans. Qui dit mieux ?

D'après la chanson de Renaud, *Cent ans.*

Observez : en général quand on n'entend pas t, p, d ou c, où la lettre est-elle placée ?

Du mot au texte

1. Retrouvez les titres des films.
Mettez les majuscules, la ponctuation.

- le — 4 — vent — garçons — dans
- ? — pilote — y a-t-il — dans — avion — l' — un

....

- aventure — l' — est — grande — amour — une

....

- Trinita — l' — on — appelle

....

2. Transformez ce télégramme en message. Faites des phrases complètes.

> M. DUVAL ARRIVE ORLY-SUD
> DEMAIN 10.30. GRAND CHEVEUX
> BLONDS PORTE UNE CHAUSSURE
> NOIRE ET UNE JAUNE VOUS
> ATTENDRA HALL CENTRAL TEL
> DEMAIN SOIR SVP

....
....
....
....
....
....

Conjugaison

LE PARCOURS

Les 20 km de Paris :
une grande course à pied populaire

Partir de la Tour Eiffel. Traverser la Seine. Monter place du Trocadéro. Passer place Victor Hugo. Descendre l'avenue Foch. Entrer dans le bois de Boulogne. Se ravitailler. Puis revenir et arriver sur les quais.

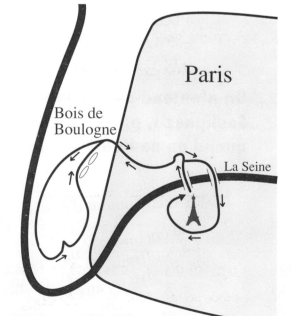

Paris

Bois de Boulogne

La Seine

3. Vous êtes reporter à la radio, qu'est-ce que vous dites ?

Ils ....

....

....

....

e
es.
is

Les conseils

Voir la nature. Courir pour le plaisir. Savoir doser l'effort. Parler, se sentir bien, être content.

• Vous participez à la course. Qu'est-ce que vous dites ?

Nous ....

....

....

Du verbe au nom

4. **Vous annoncez les principales informations à la "une" d'un journal à la rubrique SOMMAIRE.**

Les informations

SOMMAIRE

1. "Julio Iglésias arrive à Paris aujourd'hui"
2. "Le champion du monde répond non à son entraîneur"
3. "Noah attend avec impatience la fin de son entraînement"
4. "L'Italie demande à la CE une réunion urgente"
5. "Le prix du lait va monter pendant les vacances"
6. "Le nouveau modèle de la Renault 21 va sortir en novembre"
7. "M. Rocard va partir pour Moscou la semaine prochaine"
8. "La foule a regardé le champion avec admiration"

la - l'

montée

sortie

réponse

attente

demande

le

voyage

regard

départ

- L'arrivée à Paris de Julio Iglésias
- .... négative ....
  ....
- .... impatiente ....
  ....
- ....
- ....
- ....
- ....
- .... admiratif ....
  ....

Jeux et énigmes

5. **Écrivez par où on passe :**

1 On passe par le quai.
2 ....
3 ....
4 ....
5 ....
6 ....

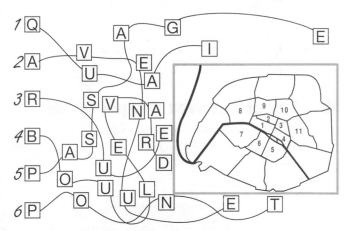

6. **Continuez à numéroter les arrondissements de Paris (en spirale).**

Le code postal à Paris   7 5 0 01   7 5 0 10
            numéro du département   numéro de l'arrondissement
Continuez

2ᵉ arr. : ....

7ᵉ arr. : ....

18ᵉ arr. : ....

Ce, cet, cette

7. **Récrivez les adjectifs démonstratifs effacés sur ces pancartes.**
Un mot vous aide à trouver, soulignez-le.

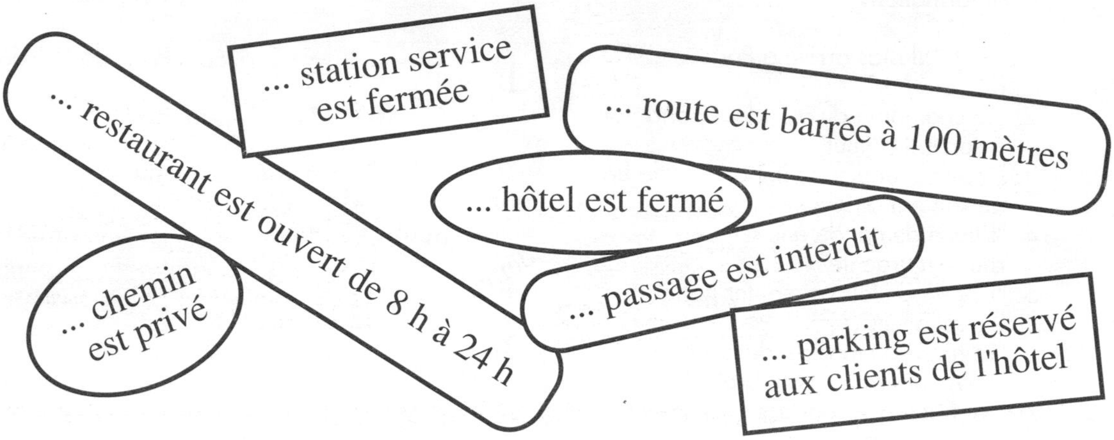

... station service est fermée

... route est barrée à 100 mètres

... restaurant est ouvert de 8 h à 24 h

... hôtel est fermé

... passage est interdit

... chemin est privé

... parking est réservé aux clients de l'hôtel

Transformez le texte des pancartes ci-dessus :
Cette route est barrée à 100 mètres. Elle est barrée à 100 mètres, cette route.

....

....

....

....

....

....

8. **À vous : écrivez des pancartes.**

Pour : un appareil, une caisse, un magasin, un musée, une entrée, une route, un ascenseur.
Avec : fermé, cassé, moderne, arrêté (en réparation), dangereux, interdit, ouvert.

Le ... du, le ... de la, le ... de l' — c'est une.

Mardi 12 juin

CANAL PLUS

20.30 **Cinéma :**
Les feux de la nuit.
Film américain de James Bridge (1988).

FR 3

16.50 **Sport : Football.**
Coupe du monde : Belgique-Corée, en direct de Vérone.
19.00 **Le 19-20 de l'information.**
De 19.10 à 19.30, le journal de la région.
20.05 **Jeux : La classe.**
20.35 ► **Magazine : La marche du siècle.**
Thème : Les hommes de l'ombre. Avec Markus Wolfe, ancien chef du contre-espionnage et de l'espionnage est-allemand, Werner Fischer, président du comité de dissolution de la Stasi, Pierre Marion, ex-patron de la DGSE, William Colby, ancien membre de la CIA, Thomas Schmitt, porte-parole et coordinateur des comités de citoyens de l'Est.

TF 1

14.30 **Feuilleton :**
La clinique de la Forêt-Noire.
15.15 **Série : Tribunal.**
15.45 **Variétés : La chance aux chansons.**
16.15 **Série : Vivement lundi.**
16.40 **Club Dorothée.** Caroline.
17.05 **Série : 21 Jump Street.**
17.55 **Série : Hawaii, police d'Etat.**
18.50 **Avis de recherche.**
18.55 **Feuilleton : Santa-Barbara.**
19.25 **Jeu : La roue de la fortune.**

9. Qu'allez-vous enregistrer sur votre magnétoscope aujourd'hui ?

Attention ! À certaines heures, vous devez choisir.

Horaires	Chaîne	Titre de l'émission		Contenu
à 14 h 30	.....	....		....
à 16 h 50	FR3	*La coupe du monde*	*Sport*	*Belgique-Corée en direct de Vérone*
à 19 h		....		....
à 19 h 25	.....	....		....
à 20 h 30		....		....
à 20 h 35	.....	....		....

Indiquez sur l'étiquette que vous collez sur votre cassette le titre exact du film déjà enregistré.

l'hôtel/le nord → *L'Hôtel du nord* le train/la nuit → ....

l'enfant/la nuit → .... le monde/le silence → ....

la fin/le monde → .... l'ami/le cow-boy → ....

10. Indiquez le titre de l'émission et le moment de la journée où elle passe.

L'amour/le dialogue (le matin) : L'amour du dialogue, c'est une émission du matin

La star/le cinéma muet : .... L'homme/la rue : ....

(le soir) .... (le soir) ....

L'amour/le rock : .... Le monde/le sport : ....

(l'après-midi) .... (l'après-midi) ....

Dépliant

Le mini-guide de la poste répond aux questions que vous vous posez.

MINI-GUIDE

A. Vous pouvez envoyer un télégramme :
• en le présentant à la poste,
• en le transmettant par téléphone,
• en le donnant au facteur.
En plus du prix, vous payez une taxe par mot supplémentaire (+ de 10 mots).

B. Votre paquet arrivera aussi vite qu'une lettre. Pour cela :
• collez l'étiquette "urgent" ou écrivez le mot "urgent" sur l'enveloppe ;
• payez la taxe spéciale.

C. Reproduisez l'adresse de votre correspondant. Attention : l'ordre d'inscription (rue, ville) n'est pas le même qu'en France. Pour l'étranger, le poids maximum d'une lettre est de 2 kg.

D. Envoyer une lettre, rien de plus facile. Inscrivez le nom et l'adresse du destinataire et n'oubliez pas le numéro de code postal.

LA POSTE

1 | J'envoie une lettre en France.

2 | J'envoie un télégramme.

3 | J'envoie une lettre à l'étranger.

4 | J'envoie un paquet "urgent" en France.

1. Retrouvez quels textes du mini-guide (A-B-C-D) correspondent aux rubriques (1-2-3-4).

1 ☐   2 ☐   3 ☐   4 ☐

2. Vous n'êtes pas satisfait des services de la poste. Celle-ci met à votre disposition une carte de suggestion. Mettez en relation les suggestions de la carte et les dessins.

INDIQUEZ-NOUS LES SERVICES QUI NE VOUS DONNENT PAS SATISFACTION : Dessins

1 Renseignements au guichet   ☐
2 Délai d'attente au guichet   ☐
3 Relations avec les agents de la Poste ☐
4 Documentation, affichage   ☐
5 Autre   ☐

3. Choisissez un service qui ne vous donne pas satisfaction et écrivez à la poste pour protester.

Le calligramme

Regardez les dessins. Ne lisez pas les textes.

1. Guillaume Apollinaire

....

2. Marc Alyn

....

3. Arthur Rimbaud

....

4. Claude Roy

....

- Quel dessin représente : une clé ☐ , un cigare ☐ , la mer ☐ , la danse ☐ ?
- Écrivez le mot au-dessus du calligramme correspondant.

Lisez et écrivez chaque petit texte en entier.

A : ....

B : ....

C : ....

D : ....

- Connaissez-vous des calligrammes dans votre langue ?

À vous ! Faites un ou deux calligrammes sur une ou deux des phrases suivantes :

Je voudrais un grand pont pour passer sur la nuit. J.M. Franck
La terre est bleue comme une orange. P. Éluard
Comme un dialogue d'amoureux
Le cœur n'a qu'une seule bouche. P. Éluard
Le soleil est un citron vert. J. Prévert
J'entends chanter l'oiseau, le bel oiseau rapace. G. Apollinaire
Tes yeux sont si profonds que j'y perds la mémoire. L. Aragon

1. Vous répondez aux messages.

Mardi 20 h. → date

→ personne à qui l'on s'adresse

Marie,
J'ai oublié mon livre chez toi. Est-ce
que tu peux m'attendre lundi à 3 h
devant la fac pour me le rendre ?
Merci. Bises → texte

Pierre → auteur du message

L'auteur du message :

Il/elle s'appelle ....

Il/elle l'envoie à ....

Il/elle connaît bien la personne ☐

Il/elle ne la connaît pas bien ☐

Il/elle la tutoie ☐

Il/elle la vouvoie ☐

Il/elle annonce quelque chose ☐

Il/elle demande de faire quelque chose ☐

Il/elle invite quelqu'un ☐

Vous répondez à ce message pour dire que :

Vous avez le livre ☐

Vous n'avez pas le livre ☐

Vous pouvez aller au rendez-vous ☐

Vous ne pouvez pas aller au rendez-vous ☐

Vous proposez un autre rendez-vous
Vous ne proposez pas de rendez-vous ☐

Lundi 3 juin

Chers amis
Êtes-vous libres vendredi soir ?
Pouvez-vous venir à la maison
pour dîner ? Ça nous fera plaisir.
Répondez vite.
Bien amicalement,
Jacques et Nathalie

Les auteurs du message :

Ils connaissent un peu les destinataires ☐

Ils connaissent assez les destinataires ☐

Ils connaissent bien les destinataires ☐

Ils demandent des nouvelles ☐

Ils annoncent quelque chose ☐

Ils invitent des amis ☐

Vous répondez à ce message pour dire que :

Vous acceptez ☐

Vous refusez ☐

Vous êtes libre ☐

Vous ne pouvez pas sortir ☐

Vous êtes très content ☐

Vous êtes malade ☐

Vous êtes en voyage ☐

Vous indiquez l'heure de votre arrivée ☐

Vous proposez une autre date ☐

2. Vous écrivez un message pour annoncer quelque chose et vous excuser.

- Vous annoncez que vous ne pouvez pas faire...
- Vous expliquez pourquoi (la raison).
- Vous vous excusez.

Pour s'excuser :
Je regrette beaucoup...
Excuse ce retard...
Excusez-moi.
Ce sera pour une autre fois.

Attention : présentez
votre message comme page 32.

Vous écrivez un message à ....
pour annoncer que vous ne pouvez pas :
– être au rendez-vous prévu ☐
– arriver à l'heure à la réunion ☐
– prêter votre voiture ☐
– faire le travail pour le jour prévu ☐
– autre : ....

Vous donnez la raison
– vous partez à .... le ....
– c'est un voyage d'affaires ☐
– vous partez en vacances ☐

3. Vous écrivez un message pour inviter quelqu'un.

- Vous annoncez l'objet de votre message.
- Vous demandez si la personne peut venir.
- Vous indiquez la date et l'heure.

Pour proposer :
Peux-tu ⎫
Pouvez-vous ⎭ venir à...
Est-ce que vous pourriez venir à ...
Es-tu d'accord ⎫
Êtes-vous d'accord ⎭ pour venir à ...

Vous invitez un ami ☐
des amis ☐
une personne de votre famille ☐
Vous le/les connaissez un peu ☐
assez ☐
bien ☐
Vous dites tu ☐
vous ☐

Donnez la raison
– Vous êtes reçu à un examen ☐
– C'est votre anniversaire ☐
– C'est un repas d'amis ☐
– C'est une réunion de famille ☐

Attention : à la présentation, à l'ordre des informations, à la ponctuation, à l'orthographe.

La mélodie de la phrase

LA CONTINUATION (2-3)

Pour la continuation la mélodie monte, elle est convexe. Il y a une pause après la mélodie.

```
4 ─────────────────────────────
3 ────────→────────────────────
2 ──────────────────────╲──────
1 ──────────────────────→──────
```
Il arrive (   ) avec Papi.

1. **Indiquez la mélodie qui convient :** ↘ ↗ ↘ ↗ .

Tu fais un appel ? (   )   Il est roux (   )   il a un short blanc (   )   et une chemise jaune. (   )
Il est tout petit. (   )   Quel est son âge ? (   )   Ne vous inquiétez pas (conseil). (   )

2. **Indiquez si la mélodie est 2-1 ou 2-3.**

Il va à Paris. (   ) Il va ce soir (   ) /à Paris. (   )   Bruno arrive (   ) /avec Amédée. (   )
Il court le 100 m (   ) /à 15 heures (   ) / au stade Jean-Bouin. (   )

3. **Dessinez la courbe de la mélodie et faites le geste correspondant.**

```
4 ─────────────┬─────────────────┬─────────────────────
3 ─────────────┼─────────────────┼─────────────────────
2 ─────────────┼─────────────────┼─────────────────────
1 ─────────────┴─────────────────┴─────────────────────
```
Attendez !   Prenez ce paquet ! (conseil)   C'est un livre pour votre mère.

Jouez juste !

Chaque voyelle nasale correspond à une voyelle orale.

Voyelle orale :	[ɛ]	[a]	[o]
Voyelle nasale :	[ɛ̃]	[ã]	[õ]

Attention ! Même durée, même rythme pour la prononciation des deux sons.

4. **Observez :**

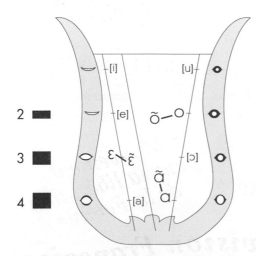

5. **Prononcez :**   [ɛ - ɛ̃ - a - ã - o - õ]

6. **Prononcez :**

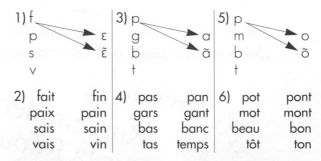

1) f
p → ɛ
s → ɛ̃
v

3) p
g → a
b → ã
t

5) p
m → o
b → õ
t

2) fait   fin
paix   pain
sais   sain
vais   vin

4) pas   pan
gars   gant
bas   banc
tas   temps

6) pot   pont
mot   mont
beau   bon
tôt   ton

7. **À quelle ouverture correspondent :**
[ã] ☐ , [õ] ☐ , [ɛ̃] ☐ ?

Les lettres de l'alphabet : la voyelle _e_ E e

1. **Lisez ce petit texte puis rayez _e_ qui ne se prononce pas et soulignez pour chaque mot la dernière consonne prononcée.**

> On l'appelle Mademoiselle Blanche
> Elle est légère comme une colombe
> et blonde, blonde comme la plage
> Quand elle passe
> sous les arcades de la place
> les yeux des garçons roulent roulent
> comme des vagues sur ses hanches

Les consonnes

Prononcez [ε] comme

ε + { F L M N R S
       f l m n r s
       f l m n r s }

2. **Cherchez la marque ou la société qui correspond à chaque logo.**

3. **Cherchez le sigle qui correspond à :**

Parti socialiste

Rassemblement pour la République

Mouvement pour la libération de la Femme

Radio Télévision Française

Du mot au texte

1. **Transformez ce petit message en télégramme. Dites seulement ce qui est important. Attention : plus il y a de mots, plus c'est cher !**

Pierre,
Le personnel de l'aéroport de Marignane est en grève.
Les vols sont annulés. Je ne peux pas être à l'heure
à notre rendez-vous demain matin.
Excuse-moi. Je te téléphone dès la reprise du trafic aérien.
Mes amitiés à ta femme.

Jean-Claude

....

....

....

....

2. **Transformez ce petit message en annonce à mettre dans un journal. Attention : plus c'est court, moins c'est cher !**

Je m'appelle Mario. Je suis un jeune peintre italien.
Je cherche un modèle, homme ou femme, jeune ou vieux,
mince ou gros pour poser. Je peux payer 200 francs
la séance, mais pas plus, je n'ai pas d'argent.
Si ça vous intéresse, écrivez-moi au journal
ou téléphonez-moi le soir au 45.00.01.10.

....

....

....

....

Conjugaison

La photo en mouvement : le poète Jacques Prévert

3. **Le rêve. Qu'est-ce que le poète pense qu'il va faire ? (Utilisez le futur proche.)**

Je vais imaginer un poème sur un animal moitié chat moitié poisson. ....

....

....

La réalité. À votre avis, qu'est-ce qu'il va faire réellement ?

Il va se lever, il va promener son chien...

....

....

....

Du nom à l'adjectif

4. **Vous travaillez pour une agence de publicité. Vous cherchez un slogan pour montrer que :**

- Végétaline est une huile qui donne de la légèreté à vos frites ;
- Biopeau est une crème qui donne de la jeunesse à votre peau ;
- Blanco est une lessive qui donne de la blancheur à votre linge ;
- Boréal à la camomille est un shampooing qui donne blondeur et beauté à votre chevelure.

Pour vous aider, voici des noms

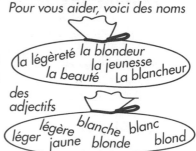

la légèreté la blondeur
la jeunesse
la beauté La blancheur

des adjectifs

léger légère blanche blanc
jaune blonde blond

Avec Végétaline, les frites sont légères !

Pour faire des frites légères prenez Végétaline !

Jeux et énigmes

5. Elle a deux couronnes, une sur sa tête, une dans sa poche. Qui est-ce ?

Il a signé l'Acte de la CE du 27-28 février 1986. Il peut avoir deux écus dans sa poche. Qui est-ce ?

Le, la, l' - il/elle

6. **Lisez le texte suivant. L'auteur n'est pas indiqué. On ne le connaît pas.**

Histoire de Joël et d'Elsa

"Joël connaît Elsa. Joël voit Elsa très souvent. Joël attend Elsa à la sortie du métro. Quand Joël ne voit pas Elsa, Joël cherche Elsa. Joël appelle Elsa chez Elsa — Joël est malheureux !..."

	Oui	Non
Est-ce que ce texte est intéressant ?		
Est-ce qu'il est bien écrit ?		
Est-ce qu'on peut changer des mots ?		

Écrivez-le à votre manière pour le rendre plus agréable à lire.

....
....
....

Qui, quand, quoi, où ?

7. **Vous composez des brèves pour la page sportive de votre journal.**

Informations sportives

	Qui c'est ?			Qu'est-ce qu'ils vont faire ?		
	spécialité	nationalité	titre	quand ?	quoi ?	où ?
Arrivée de Jones à Paris, aujourd'hui	nageuse 100 m	américaine	championne olympique,	la semaine prochaine	Championnat open de natation	piscine des Tourelles
Arrivée de Mendes à Paris à 7 h ce matin.	sprinter 100 m plat	brésilienne	champion d'Amérique latine	demain	Championnat du monde d'athlétisme en salle	Bercy
Voyage en autobus de l'équipe de France. Arrivée à Barcelone ce soir.	judoka		championne d'Europe	le mois prochain	Jeux olympiques	Palais des sports
Départ de Noah pour Londres à 19 h 30.	joueur de tennis	française	champion de France	la semaine prochaine	Championnat open	Wimbledon

Jones, la nageuse américaine, championne olympique, arrive à Paris aujourd'hui. Elle va participer la semaine prochaine au Championnat Open de Natation, à la piscine des Tourelles.

....
....
....

Le style indirect

8. Qu'est-ce qu'on lui dit ?

faire attention ?

chercher ?

passer ?

venir ?

sortir ?

attendre ?

"Fais attention !"
– Oui, on lui dit de faire attention.

" .... ! "

....

Qu'est-ce que vous lui dites ?

passer ?

entrer ?

sortir ?

téléphoner ?

chercher ?

entrer ?

" .... ! "

....

" .... ! "

....

Qu'est-ce qu'il/elle dit ?

connaître ?

descendre ?

appeler ?

sortir ?

venir ?

répondre ?

" .... ! "

....

" .... ! "

....

beau ?

grand ?

lourd ?

froid ?

chaud ?

peur ?

"C'est beau !"
– Il dit que c'est beau.

" .... ! "

....

Portraits

1. **Voici le portrait de 3 personnes connues du monde du spectacle. Comprenez globalement le texte.**

Bruno Masure
Du signe de la Balance, Bruno de son prénom, "Nounours" pour ses amis, est né le 14 octobre 1947. Parmi tous les journalistes de la télévision il est peut-être celui qui se prend le moins au sérieux et il le prouve dans son livre : *La télé rend fou, mais je me soigne.* Le journal du soir prend avec ce séducteur des allures farfelues. Ça ne l'empêche pas de prendre son métier très au sérieux. Son plaisir ? Le bon vin !

D'après *Almanach TF1 89* (Éd. TF1).

Mireille Darc
Comédienne de talent, photographe, Mireille Darc n'arrête pas. Mais elle peut rester des mois sans travailler pour le plaisir de voyager (New York est sa ville fétiche : "Elle m'attire et me fait peur."). Ce qui frappe chez elle, c'est sa grande simplicité et son humour même si elle avoue un défaut : les colères ! Longtemps compagne d'Alain Delon, il reste la star qu'elle admire le plus. Elle avoue un grand besoin de calme, de nature, d'air pur et s'occupe de ses rosiers avec amour.

D'après *Almanach TF1 91* (Éd. TF1).

Nicolas Hulot
Son portrait, c'est son émission : "Ushuaïa", un homme qui est attiré par le grand spectacle de la nature, solitaire, plus heureux dans les forêts qu'en société. S'il pouvait s'offrir un caprice, il interdirait les voitures dans Paris ; s'il pouvait changer de siècle il vivrait au XIXe. Amoureux des bêtes (il a 5 chiens), il avoue une passion pour les vieux livres et une attirance pour l'odeur du chèvrefeuille.

D'après *Almanach TF1 91* (Éd. TF1).

2. **Trouvez à quelles personnes correspondent ces portraits chinois et complétez-les :**

Nom : ....

un métier : ....
une ville : ....
un acteur : ....
une qualité : ....
un défaut : ....
une fleur : ....
un lieu de vie : ....

Nom : ....

une émission : ....
un caprice : ....
un regret : ....
un parfum : ....
une passion : ....
un animal : ....

Nom : ....

un signe : ....
un métier : ....
une date de naissance : ....
une boisson : ....
un animal : ....
une qualité : ....

Tu es plus belle que le ciel et la mer

Quand tu aimes il faut partir
Quitte ta femme quitte ton enfant
Quitte ton ami quitte ton amie
Quitte ton amante quitte ton amant
Quand tu aimes il faut partir

Le monde est plein de nègres et de négresses
Des femmes des hommes des hommes des femmes
Regarde les beaux magasins
Ce fiacre cet homme cette femme ce fiacre
Et toutes les belles marchandises

Il y a l'air il y a le vent
Les montagnes l'eau le ciel la terre
Les enfants les animaux
Les plantes et le charbon de terre

Apprends à vendre à acheter à revendre
Donne prends donne prends
Quand tu aimes il faut savoir
Chanter courir manger boire
Siffler et apprendre à travailler

Quand tu aimes il faut partir
            (...)
Je prends mon bain et je regarde
Je vois la bouche que je connais
La main la jambe l'œil
            (...)
Je t'aime

                                Blaise Cendrars

- Ce texte est tiré :

  d'un roman
  d'un recueil de poèmes
  d'une pièce de théâtre

- Relevez les mots qui l'invitent à partir :

  ....
  ....

- Relevez les mots qui l'invitent à rester :

  ....
  ....

- À votre avis, qu'est-ce qu'il va faire ?
  partir
  rester

- Le titre est une conclusion
  Le titre n'est pas une conclusion

U4   ACTIVITÉS D'EXPRESSION ÉCRITE

1. **Observez ces fiches qui sont au fichier d'une agence matrimoniale.**

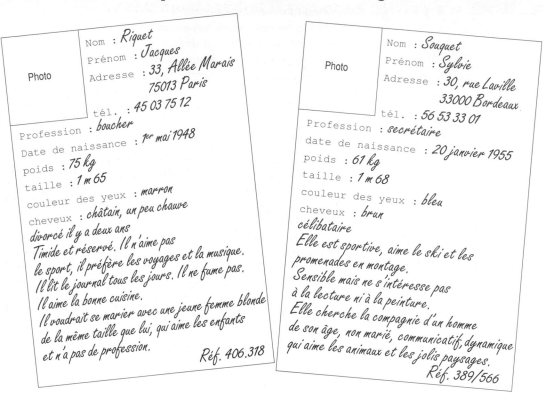

À partir de ces fiches, vous rédigez deux petites annonces pour la section "se rencontrer" d'un grand magazine. Attention, valorisez ces personnes ! Montrez les aspects positifs !

Schéma d'une petite annonce	Description de la personne qui met l'annonce. Ce qu'elle veut. Description de la personne désirée. Ce qu'il faut faire pour répondre à l'annonce.

Correspondance

2. Lisez ces petites annonces. Choisissez-en deux.

1
J.F, 32 a, divorcée, belle, yeux bleus, secrétaire trilingue, désire rencontrer l'homme de sa vie pour relation stable, professeur ou ingénieur, grand, cultivé 35a-40 a, doux.

2
H. d'affaires, 53 a, bon salaire, présentation parfaite. Grand, non fumeur, tendre, sensuel, il vous espère jolie, sentimentale, grande, pour faire le tour du monde. Écrire très vite. Envoyez photo.

3
Artiste, 41 a, superbe, brune, longue et mince, sportive, tennis, natation, danse, équitation. Si vous avez 40 ans, si vous êtes blond, passionné, si vous avez une belle voiture, vous êtes le bienvenu. Photo demandée. Écrire journal.

4
J.H, 30 a, 1m78, cultivé, médecin, romantique, célibataire, aimant cinéma, lecture, cherche pour mariage, J.F 25-28 a, douce, équilibrée. Non sérieuse, s'abstenir. Photo SVP. Écrire journal

Vous écrivez les fiches qui correspondent aux deux annonces choisies. Vous complétez en imaginant des renseignements qui ne figurent pas sur l'annonce.

Schéma
de la fiche

	n°		n°

• Nom
• Prénom
• Adresse
• Profession
• Âge
• Poids
• Taille
• Yeux
• Cheveux
• État civil
• Caractère
• Goûts
• Description
de la personne
désirée.

La mélodie de la phrase

LA CONTINUATION MAJEURE (2-4)

La mélodie monte plus haut que pour la continuation simple (2-3).

1. **Indiquez la mélodie :** ⤴ ⤴ ⤵ ⤴ **.**

Vous partez ? (   )   Je pars (   ) en Espagne (   ) avec ma femme. (   )   Il sort ? (   )
Je vais au théâtre (   ) à la Comédie-Française (   ) avec Elsa. (   )

2. **Indiquez si la mélodie est 2-1, 2-3, 2-4 ou 4-1.**

Qu'est-ce que vous transportez ? (   )
Je livre des fleurs, (   ) du muguet (   ) pour le 1er mai. (   )

3. **Indiquez la courbe de la mélodie et faites le geste correspondant.**

Vous jouez contre qui ?   On joue contre Marseille, en nocturne, samedi prochain.

Jouez juste !

*Objectif : **entendre** la différence entre la voyelle et la semi-voyelle correspondante.*

4. **Prononcez les mots (attention : ne prononcez pas les consonnes finales des mots).**

pied	huit	oui
viens !	nuit	doigt

5. **Reconnaissez les semi-voyelles.**

	[j] (yod)	[ɥ] (ui)	[w] (oua)
Elles sont composées de :	i + voyelle	u + voyelle	ou + voyelle

6. **Entendez les différences entre :**

[i] et [j]		[y] et [ɥ]		[u] et [w]	
vie	viens !	lu	lui	cou	quoi ?
ris	riez !	su	suis	où	oui
pie	pied	plu	pluie	où	ouest

Les lettres de l'alphabet : la voyelle o O o

1. **Soulignez la lettre <u>o</u> qui se prononce [ɔ] comme**
Rayez la lettre o̷ qui ne se prononce pas [ɔ].

La partie de pétanque

Nicole joue doucement.
La boule roule sur le sol,
Tout près du cochonnet.
Ça y est, le point est fait !
....
Lui, de sa poche alors,
Il sort douze louis d'or
Pour Nicole

Les consonnes

	H ,	J ,	K ,	Q ,	X ,	Z
	h ,	j ,	k ,	q ,	x ,	z
	h ,	*j ,*	*k ,*	*q ,*	*x ,*	*z*
Prononcez	[aʃ],	[ji]	[ka]	[ky]	[iks]	[zɛd]

2. **Prononcez un sigle puis l'expression correspondante.**

Hôpital *Senatus populus que romani* Jeux Olympiques Zone industrielle de Pessac Quotient intellectuel C.H.R.

ZI Pessac

J.O. Q.I. Centre hospitalier régional (H)

S.P.Q.R.

3. **Cherchez un mot avec H, Q, J et imaginez un dessin pour illustrer ce mot.**

J   H   Q

*La gerbe épanouie
En mille fleurs (...)
Tombe comme une pluie
De larges pleurs*

J et d'eau   *Baudelaire*   ....

Du mot au texte

1. Lisez cette strophe de Paul Éluard.

> j'aime les bêtes c'est Maïakowski
> qui dit j'aime les bêtes et il a aussitôt envie
> de le prouver il leur sourit et il les voit répondre
> *Derniers Poèmes d'Amour.* Éd. Gallimard.

• Récrivez ces trois vers sous forme de texte avec les majuscules, la ponctuation, les guillemets.

....

....

....

Conjugaison

2. Faites deux phrases semblables aux modèles proposés.

• Vous écrivez ce que vous voulez faire (je). *Je veux partir ce soir...*

....

Observez ! À la 1re personne, le verbe se termine par :

[   ]

• Vous écrivez, d'une manière polie, ce que vous voulez faire. *Je voudrais aller...*

....

Observez ! À la 1re personne, le verbe se termine par :

[   ]

Attention ! Je veux est impératif, autoritaire. Je voudrais est poli, courtois.

....

3. Lisez ce dialogue, puis récrivez-le. Elsa est avec Charlotte, Olivier est avec Joël.

Joël — Tu pars parce que tu es fatiguée ?
Elsa — Non, j'ai froid, je vais courir un peu !
Joël — Ce n'est pas étonnant, tu es assise depuis une heure. Moi, je reste encore un moment. J'ai trop chaud, je vais boire un verre d'eau.

Joël — Vous ....
Elsa — ....
Joël — ....
....
....

Dites ce que fait Elsa :

Elle ....

Dites ce que font Elsa et Charlotte :

Elles ....

Dites ce que fait Joël :

Il ....

Dites ce que font Joël et Olivier :

Ils ....

Du nom au verbe

4. **Vous lisez des faire-part et des pancartes. Notez simplement les renseignements qu'ils vous donnent.**

> *Nous sommes heureux*
> *de vous annoncer*
> *la naissance de notre fils*
> *Marc*
> *le 10 septembre 1990*
>
> Anne et Jean Trontin

> Mme André Jeannot, son épouse,
> Corinne, Laure, Hélène et Benoît
> ses enfants,
> toute la famille
> ont la douleur d'annoncer
> le décès de
> M. André Jeannot
> survenu le 29 janvier 1991

Marc, le fils d'Anne et Jean est né le 10 septembre 1990

....

....

> **Transports Gauthier**
> *Nous n'effectuons pas*
> *le transport*
> *des marchandises*
> *à plus de 60 km.*

> MADAME MEUBLES
> Nos transporteurs
> ne font pas
> la livraison
> des meubles
> **le samedi.**

> **Secrétariat**
> ▼
> **Inscription des enfants**
> **le matin de 9 h à 12 h.**

....

....

> *"Au ballon rouge"*
> Fermeture du magasin
> Changement de
> propriétaire
> **Ouverture :**
> **samedi prochain**

> Centre des examens
> Mathématiques
> 9 h : ouverture des portes
> 9 h 30 : commencement
> des épreuves
> 12 h : fin des épreuves

> **Bibliothèque municipale**
> La sortie des livres d'art
> est interdite
> *Lecture à la bibliothèque*
> *seulement*

....

....

Jeux et énigmes

5. **Pour trouver les professions, remplissez les grilles avec :**

le présent (je) des verbes

porter
courir
ouvrir
partir
arriver
pouvoir
tirer

l'adjectif des noms

la rougeur
la beauté
la finesse
la grandeur
la légèreté

le verbe (je) des noms

le départ
la livraison
la sortie
l'écriture
le passage
le port

Présentations

6. **Les renseignements suivants ont été mal introduits dans l'ordinateur. Pouvez-vous les remettre dans l'ordre ?**

Prénom et nom	Nationalité	Adresse
Juan Pérez	écossais	calle de Palma n° 9. Lima. Pérou
Irina Kornilova	algérien	154 Southampton row. Edimbourg. Écosse
Djemel Diaf	russe	Warbugstrasse 45. Bonn. RFA
Ana Bauer	allemande	av Liteïny 12. Moscou. URSS
Adam Smith	péruvien	10 rue Ben Mihdi. Constantine. Algérie

Profession	Numéro de téléphone	Indicatif des pays
danseuse	19. 213.4.93.21.15	Écosse 44
musicien	19.49.228.51.25.12	Algérie 213
journaliste	19.44.31.34.54.43	Pérou 51
commerçant	19.7.24.68.03.42	URSS 7
cinéaste	19.51.14.23.15.24	RFA 49

• *Juan Pérez est péruvien. Il habite à Lima au Pérou.*
Il est cinéaste. Vous pouvez lui écrire à cette adresse :
calle de Palma n° 9. On lui téléphone au n° 19.51...

• ....
....

• ....
....

• ....
....

• ....
....

7. **Écrivez en entier le dialogue du canevas suivant :**

- Votre nom, s.v.p ?	—*Votre nom, s'il vous plaît ?*
- Je (s'appeler)...	— ....
- Vous (habiter) au (pays) ?	— ....
- Oui, oui, j'(habiter) à ...	— ....
- Est-ce que vous (avoir) une profession ?	— ....
- Oui, je (être)...	— ....
- Où (pouvoir) on vous écrire ou vous téléphoner ?	— ....
- Eh bien, vous (pouvoir) ... à ... ou ...	— ....

Imaginez d'autres demandes de renseignements :

2. — ....   3. — ....

— ....   — ....

— ....   — ....

— ....   — ....

— ....   — ....

8. **Vous êtes responsable d'une entreprise et vous donnez des ordres, des conseils.**

LIVRAISON DE MARCHANDISES

Le chauffeur – *Pour livrer la marchandise, on prend le gros camion ?*

Vous – *Oui, bien sûr, prenez-le.*

Vous – *Pour la* .... *des petits paquets, vous prenez la camionnette ?*

Le chauffeur – *Oui, on la prend.*

SIGNATURE D'UN CONTRAT

La secrétaire – *Pour* (v) .... *le contrat, j'appelle les clients ?*

Vous – *Oui* ....

Vous – *Melle, s'il vous plaît, vous prévenez les clients pour la* ....
des contrats ?

La secrétaire – *Oui monsieur, je* ....

INFORMATION DES INTERVENANTS À LA RÉUNION DU 10 AOÛT

La secrétaire – *Pour* (v) .... *les intervenants, je tape les lettres ?*

Vous – *Oui, bien sûr* ....

Vous – *Melle, s'il vous plaît, pour l'* .... *des intervenants, postez
les lettres ce soir.*

La secrétaire – *Oui, monsieur, je* ....

INSCRIPTION DES ÉTUDIANTS

La secrétaire – *Pour* (v) .... *les étudiants, je prépare la liste ?*

Vous – *Oui,* ....

Vous – *Melle, préparez votre liste pour l'* .... *des étudiants.*

La secrétaire – *Oui, je* ....

CHANGEMENT DE DATE

Vous – *On* .... *la date de la réunion, prévenez les intéressés.*

Votre adjoint – *Oui, je* ....

Votre adjoint – *Pour le* .... *de date de la réunion, je préviens les intéressés ?*

Vous – *Oui,* ....

L'annuaire téléphonique

1. Lisez les noms précédés d'un chiffre. Selon vous, de quelle origine sont-ils ?

```
 1 MOUNIER Jean-Marie
     médec généraliste ----------------------------
   MOZE Georges 16, bvd Beaumarchais ----------------
   » Jeanne --------------------------------------
 2 M'SALLEK Abdeslam 84, rue d'Assas ---------------
 3 MULLER Marie 14, rue St Maur -------------------
   NAUD Jeanne --------------------------------------
 4 NEUVILLE Henri 5, rue Jules César --------------
   PAROT Jacques Papeterie dét ---------------------
   PASCOUAU Patrick 3, rue du Pont ----------------
 5 ROSAZZA Denise 13, rue du Plateau --------------
 6 ROYER Olivier pl Foirail ------------------------
 7 SHARPE Alain Le Tour ----------------------------
   SIMON Daniel 3, rue Ste Croix -------------------
   SINTES Gabriel Le Bourg Nord --------------------
 8 SOLINSKI Jean 12, rue Bleue --------------------
   SORT André 6, rue de la Chapelle ---------------
   » Lucien Bourg Sud ------------------------------
 9 SOUSA Joao-Carlos`
     12 r Raymond Raudier ---------------------------
10 SUAREZ Juan-Carlos 1 r Loup ---------------------
```

française			
italienne			
allemande			
espagnole			
anglaise			
portugaise			
polonaise			
maghrébine			
(Afrique du Nord)			

2. Observez :

> **L'appel
> ou réveil
> automatique**

Si vous êtes raccordé à un central électronique, vous pouvez utiliser sans condition (pas d'abonnement) le service de rappel automatique "Mémo appel", sinon, vous faites le 36 88 et vous payez 3,65 F.

oui non

- On peut toujours utiliser "Mémo appel". ☐ ☐
- Ce service est gratuit. ☐ ☐

3. Observez :

- Remettez les 6 actions suivantes dans l'ordre où on les fait.

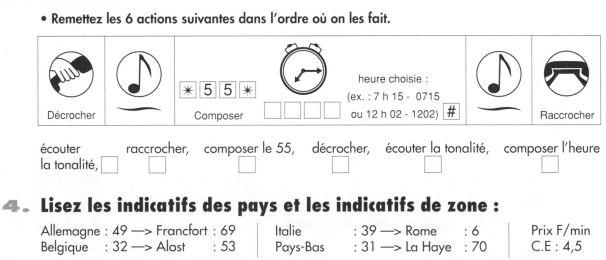

| Décrocher | | Composer ✳ 5 5 ✳ ☐☐☐☐ | heure choisie : (ex. : 7 h 15 - 0715 ou 12 h 02 - 1202) # | | Raccrocher |

écouter la tonalité, ☐   raccrocher, ☐   composer le 55, ☐   décrocher, ☐   écouter la tonalité, ☐   composer l'heure ☐

4. Lisez les indicatifs des pays et les indicatifs de zone :

Allemagne : 49 —> Francfort : 69	Italie : 39 —> Rome : 6	Prix F/min
Belgique : 32 —> Alost : 53	Pays-Bas : 31 —> La Haye : 70	C.E : 4,5

- Choisissez un des numéros suivants :

51 25 12 à Francfort,   21 45 90 à Alost,   56 55 41 à Rome,   12 34 56 à La Haye,

- Observez : 📞 ∿ 19 ∿ | indicatif du pays | indicatif de zone | numéro demandé |

- Appelez le numéro choisi. Écrivez ce que vous faites.

Lui   Mademoiselle, mademoiselle. Puis-je m'asseoir ici ? À côté de vous ? Oh oui, je sais bien que les bancs publics sont à tout le monde, c'est pour cela qu'ils sont publics, mais, par politesse, je peux ?

Elle Oui monsieur.

Lui   Merci... Je ne sais pas si je peux me permettre, mais ...

Elle Oui monsieur ?

Lui   Vous avez l'air triste, mademoiselle.

Elle Je n'ai pas l'habitude d'adresser la parole à des inconnus, monsieur, car je suis très jeune, très pauvre et très pure, mais je suis aussi très malheureuse. Je rêve d'un cœur qui comprendrait ma peine.

Lui   Je voudrais la comprendre, mademoiselle, je suis très malheureux moi aussi.

Elle Que cherchez-vous dans la vie monsieur ? Je vous pose cette question pour savoir si je puis rester assise à côté de vous.

Lui   Le bonheur, mademoiselle.

Elle Et comment monsieur ?

Lui   Par l'amour, mademoiselle.

Elle Moi aussi, monsieur.

                                    Guy Foissy, © Librairie théâtrale.

- Combien y a-t-il de personnages ?   ....
- Est-ce qu'ils se connaissent ?   ....
- Ils se rencontrent dedans (à l'intérieur) □
  dehors (à l'extérieur) □
- Qui est assis sur le banc ?
  le jeune homme □
  la jeune fille □
- Ils sont heureux □
  malheureux □
- Ils cherchent la richesse □
  la vie □
  l'amour □
  un banc public □
  le bonheur □
- Est-ce qu'ils cherchent tous les deux la même chose ?   oui □   non □
- Donnez un titre à la scène : ....
- Regardez le titre donné par l'auteur (retournez votre livre) :
- Est-ce qu'il veut dire la même chose que le vôtre ?   oui □   non □
- Êtes-vous d'accord avec le titre de l'auteur ?   oui □   non □

- Pourquoi ? ....
  ....

Titre de la scène de Guy Foissy : *Cœur à deux*

1. Vous préparez une interview.

La personne que vous voulez interviewer.

sportif   *politicien*   *acteur (trice)*   *écrivain (h ou f)*   *chanteur (euse)*

	• **Faites sa présentation en quelques lignes.**
nom nationalité lieu de naissance profession etc.	*Elle s'appelle* .... *elle est* ....

• **Décrivez-la physiquement.**

	Elle a ....
les cheveux les yeux sa taille son poids etc.	....

	• **Dites ce que vous aimez chez cette personne. Dites si vous la voyez souvent.**
les disques, les chansons, les livres, les exploits sportifs à la télé, à la radio, au cinéma, au théâtre, etc.	....

Où va-t-elle être publiée ?

Dans un hebdomadaire qui parle
des artistes de la chanson ☐

Dans un journal de sport ☐

Dans une revue culturelle mensuelle ☐

Dans un quotidien régional ☐

Autre ☐

Le public qui va lire votre article.

Des jeunes passionnés de musique moderne ☐

Des adultes cultivés ☐

Des gens intéressés par les personnalités régionales ☐

Des gens qui s'intéressent aux sports ☐

Autres ☐

Vous préparez les questions que vous allez poser.

• Rédigez trois questions pour que la personne parle de ses activités :

ce qu'elle fait : ....

ce qu'elle va faire : ....

ce qu'elle voudrait faire : ....

• Rédigez trois questions pour que la personne parle de sa culture :

ce qu'elle étudie : ....

les langues qu'elle parle : ....

les livres qu'elle lit : ....

• Rédigez trois questions pour que la personne parle de ses goûts en cuisine :

les plats qu'elle aime : ....

si elle aime faire la cuisine : ....

si elle est gourmande : ....

• Rédigez trois questions pour que la personne parle de ses loisirs :

ce qu'elle fait en vacances : ....

les pays qu'elle aime visiter : ....

les sports qu'elle pratique : ....

• **Autres questions que vous voulez poser :**

....

Choisissez cinq ou six de ces questions et rédigez votre interview en répondant aux questions.
Attention à la présentation. Allez à la ligne après chaque question et chaque réponse.
Mettez un tiret (–) avant les répliques. N'oubliez pas les points d'interrogation et les majuscules après les points. Relisez pour corriger les fautes d'orthographe.

Interview de ....

Q.1 ....   R.1 ....

....

Q.2 ....   R.2 ....

....

Q.3 ....   R.3 ....

....

Q.4 ....   R.4 ....

....

Q.5 ....   R.5 ....

....

Q.6 ....   R.6 ....

....

La mélodie de la phrase

L'APPRÉCIATION (4-2+)

La mélodie descend, elle remonte en finale.

```
4 ──────────────
3
2
1 ────────────────── (4-2+)
   Comme elle est belle !
```

1. Indiquez la mélodie ⤵ ⤵ ⤳ .

Attendez-moi. (   )   Va ouvrir. (   )   Qui est là ? (   )   Qu'il est grand ! (   )
Qu'est-ce que vous mangez ? (   )   Que c'est bon ! (   )

2. Indiquez la courbe de la mélodie et faites le geste correspondant.

```
4
3
2
1
   Qu'est-ce que c'est ?    Regardez ce spectacle (conseil)    Que c'est beau !
```

Jouez juste !

Objectif : jouer faux ! pour jouer juste, après... (Ne faites pas tous ces exercices le même jour !)

3. Déformez les voyelles des mots diapasons selon la numérotation indiquée. Entendez bien les différences.

A. Attention à l'ouverture de la bouche !
4-1-4 —> [tezeve - tizivi -tezeve]
À vous : 4-8-4, 8-4-8, 8-11-8,
6-3-6, 6-10-6, 10-6-10, 10-11-10

B. Attention à la position de la langue (en arrière - en avant) !
3-2-3 —> [buʃ - byʃ - buʃ]
À vous : 6-5-6, 10-9-10,
2-3-2, 5-6-5, 9-10-9

C. Attention aux lèvres tirées ou arrondies !
3-1-3 —> [buʃ - biʃ - buʃ]
À vous : 6-4-6, 10-8-10, 1-2-1,
4-5-4, 8-9-8

Correspondance son ⇆ graphie

Ce n'est pas de la lecture !
Ce n'est pas de l'orthographe !

Écoutez bien, entendez bien,
prononcez bien et faites 0 faute.
C'est facile !

Combinaison des voyelles et des consonnes
à graphie unique

(le sens des mots n'importe pas)

1. Prononcez puis écrivez.

[mim-bip]
→ [i]

[il], [if], [mi], [ni], [vif], [vil], [fil], [tiR], [tif], [viRil], [finiR]

il, ...

[baRk-kRab]
→ [a]

[paR], [bal], [mal], [naval], [fatal], [papa], [banal], [fanal].

par, ...

[iRa], [paRtiR], [liRa], [diRa], [ami], [maRi], [maRdi].

ira, ...

[paRti], [Ravi], [taRi], [taRif], [abRi], [paRmi], [lima].

parti, ...

[vital], [maladif], [minimal], [animal], [paRtitif], [taRdif].

vital, ...

[kɔR-gɔm]
→ [ɔ]

[ɔR], [bɔl], [vɔl], [fɔRmɔl], [RɔtɔR] , [fɔl], [mɔl].

or, ...

[pɔli], [mɔtif], [dɔRmiR], [vɔmitif], [RɔtɔR], [lɔti], [mɔl].

poli, ...

[tɔtal], [abɔliR], [mɔRal], [midi], [pɔRtatif], [ɔRdinal], [nɔRmatif].

total, ...

2. Lisez puis transcrivez.

natal, rival, vital, radar, ni, film, ira, mil,

[natal], ...

ravir, anormal, nominatif, mirador, nominal.

[RaviR], ...

3. Avec les trois indices, trouvez le mot secret de l'exercice 2.

Du mot au texte

1. Lisez ce texte.

Le frère de Bernard vit dans un petit cabanon sur la plage la maison est placée devant les rochers et les pilotis qui la portent baignent dans l'eau Bernard m'a présenté son frère c'est un grand type large d'épaules avec une petite femme blonde ronde et gentille à l'accent parisien

• Remettez les points, les virgules et les majuscules. Dites combien de photos il faut pour illustrer ce texte. Séparez chaque partie du texte correspondant à une photo par un trait vertical.

Conjugaison

2. Faites des dialogues semblables au modèle. Utilisez "pouvoir" et "vouloir". Imaginez un usage détourné des objets.

- Qu'est-ce que tu veux faire avec ce grill ?
- Je veux griller ma viande mais je peux aussi jouer au tennis, si je veux.

1. Une casserole

Qu'est-ce que tu ....

....

....

2. Une scie

Qu'est-ce que tu ....

....

....

3. Complétez l'emploi du temps d'Elsa et de Joël le 18 octobre.

On est le 19 octobre. Vous racontez ce qu'ils ont fait le 18. Utilisez : d'abord, après, ensuite, puis et enfin.

(re)sortir	- 10 h	....
aller	- 12 h	....
entrer	- 13 h arriver au restaurant	À 13 heures ils sont arrivés au restaurant.
monter	- 15 h	....
revenir	- 16 h	....
rentrer	- 18 h	....
arriver	- 21 h	....

Des mots pour écrire

1990 JANVIER ☉ 7 h 46 à 16 h 03	FÉVRIER ☉ 7 h 23 à 16 h 46	MARS ☉ 6 h 35 à 17 h 32	AVRIL ☉ 5 h 31 à 18 h 20	MAI ☉ 4 h 32 à 19 h 04	JUIN 1990 ☉ 3 h 54 à 19 h 44
1 L **JOUR de l'AN**	1 J S°Ella	1 J S. Aubin	1 D S. Hugues	1 M **FÊTE du TRAV.**	1 V S. Justin
2 M S. Basile	2 V *Présentation*	2 V S. Charles le B.	2 L S°Sandrine	2 M S. Boris	2 S S°Blandine
3 M S°Geneviève	3 S S. Blaise	3 S S. Guénolé	3 M S. Richard	3 J SS. Phil., Jacq.	3 D **PENTECÔTE**
4 J S. Odilon	4 D S°Véronique	4 D **Carême**	4 M S. Isidore	4 V S. Sylvain	4 L S°Clotilde
5 V S. Edouard	5 L S. Olive	5 L S°Olive	5 J S°Irène	5 S S. Judith	5 M S. Igor
6 S S. Mélaine	6 M S. Gaston	6 M S°Colette	6 V S. Marcellin	6 D S°Prudence	6 M S. Norbert
7 D **Épiphanie**	7 M S°Eugénie	7 M S°Félicité	7 S S. J.-B. de la S.	7 L S°Gisèle	7 J S. Gilbert
8 L S. Lucien	8 J S°Jacqueline	8 J S. Jean de D.	8 D **Rameaux**	8 M **VICTOIRE 1945**	8 V S. Médard
9 M S°Alix	9 V S°Apolline	9 V S°Françoise	9 L S. Gautier	9 M S. Pacôme	9 S S°Diane
10 M S. Guillaume	10 S S. Arnaud	10 S S. Vivien	10 M S°Fulbert	10 J S°Solange	10 D S. Landry
11 J S. Paulin	11 D N.-D. Lourdes	11 D S°Rosine	11 M S. Stanislas	11 V S°Estelle	11 L S. Barnabé
12 V S°Tatiana	12 L S. Félix	12 L S. Justine	12 J S. Jules	12 S S. Achille	12 M S. Guy
13 S S°Yvette	13 M S°Béatrice	13 M S. Rodrigue	13 V S°Ida	13 D **Fête J.-d'Arc**	13 M S. Antoine de P.
14 D S°Nina	14 M S. Valentin	14 M S°Mathilde	14 S S. Maxime	14 L S. Matthias	14 J S. Elisée
15 L S. Remi	15 J S. Claude	15 J S°Louise de M.	15 D **PAQUES**	15 M S°Denise	15 V S°Germaine
16 M S. Marcel	16 V S°Julienne	16 V S°Bénédicte	16 L S. Benoît-J.	16 M S. Honoré	16 S S. J.F. Régis
17 M S°Roseline	17 S S. Alexis	17 S S. Patrice	17 M S. Anicet	17 J S. Pascal	17 D **Fête-Dieu**
18 J S°Prisca	18 D S°Bernadette	18 D S. Cyrille	18 M S. Parfait	18 V S. Eric	18 L S. Léonce
19 V S. Marius	19 L S. Gabin	19 L S. Joseph	19 J S°Emma	19 S S. Yves	19 M S. Romuald
20 S S. Sébastien	20 M S°Aimée	20 M **PRINTEMPS**	20 V S°Odette	20 D S. Bernardin	20 M S°Silvère
21 D S°Agnès	21 M S. P. Damien	21 M S°Clémence	21 S S. Anselme	21 L S. Constantin	21 J **ÉTÉ**
22 L S. Vincent	22 J S°Isabelle	22 J S°Léa	22 D S. Alexandre	22 M S. Emile	22 V S. Alban
23 M S. Barnard	23 V S. Lazare	23 V S. Victorien	23 L S. Georges	23 M S. Didier	23 S S°Audrey
24 M S. Fr. de Sales	24 S S. Modeste	24 S S°Cath. de Su.	24 M S°Fidèle	24 J **ASCENSION**	24 D S. Jean-Bapt.
25 J Conv. S.Paul	25 D S. Roméo	25 D **Annonciation**	25 M S. Marc	25 V S°Sophie	25 L S. Prosper
26 V S°Paule	26 L S. Nestor	26 L S°Larissa	26 J S°Alida	26 S S. Bérenger	26 M S. Anthelme
27 S S°Angèle	27 M **Mardi gras**	27 M S. Habib	27 V S°Zita	27 D **Fête des Mères**	27 M S. Fernand
28 D S. Th.d'Aquin	28 M **Cendres**	28 M S. Gontran	28 S S°Valérie	28 L S. Germain	28 J S°Irénée
29 L S. Gildas	Epacte 3 / Lettre dominicale G	29 J S°Gwladys	29 D **Jour du Souvenir**	29 M S. Aymard	29 V SS.Pierre,Paul
30 M S°Martine	Cycle solaire 11 / Nbre d'or 15	30 V S. Amédée	30 L S. Robert	30 M S. Ferdinand	30 S S. Martial
31 M S°Marcelle	Indiction romaine 13	31 S S. Benjamin		31 J *Visitation*	CASLON - Paris - (1) 45 42 13 20

Les mois de l'année :

janvier : 01	juillet : 07
février : 02	août : 08
mars : 03	septembre : 09
avril : 04	octobre : 10
mai : 05	novembre : 11
juin : 06	décembre : 12

Les jours de la semaine :

lundi	vendredi
mardi	samedi
mercredi	dimanche
jeudi	

4. Faites votre agenda pour la semaine. Indiquez les fêtes, les anniversaires, les examens ; les rendez-vous chez le médecin, le dentiste ; les sorties au cinéma, au théâtre, etc.

Lundi – 10 h : examen de français
17 h : dentiste ....
....
Mardi ....

Jeux et énigmes

5. Observez : les enfants et les petits-enfants des Dupont et des Duval mélangés.

M. Dupont   Mme Dupont   M. Duval   Mme Duval

Qui est-ce ?

• [2] est la femme de [ ]
la mère de [ ] et [ ]
la grand-mère de [ ]
• [3] est le mari de [ ]
le père de [ ] et [ ]
• [9] est ....
• Les parents de 7 sont [ ] et [ ]
• Les parents de 8 sont [ ] et [ ]

Indiquez d'une croix, les ressemblances de 10 avec ses parents.

	les cheveux	les yeux	le nez	les oreilles	la bouche	les joues
père						
mère						

Où et quand ?

SUR LA ROUTE DE VOS VACANCES

Des châteaux s'ouvrent au public dans toute la France : accueil d'hôtes, expositions, concerts, visites guidées. Culture ou farniente, un programme de charme.

SI VOUS AIMEZ LES EXPOSITIONS

Au château d'Yvoire (74140) (50 72 88 80). Du 1er juin au 31 août, t.l.j. de 10 h à 19 h : exposition photographique : *L'art des jardins en pays de Savoie, en Genevois et en Piémont du XVIIe au XIXe siècle.*
Au château de Veyrignac, Carlux (24370) (53 28 13 56). Du 1er juin au 30 septembre t.l.j. de 10 h à 12 h 30 et de 14 h à 18 h : exposition de personnages historiques en costume d'époque, retraçant l'histoire de l'Aquitaine du XIIe au XVIIe siècle, par Bermans et Nathans.

Au château de Roquetaille (Mazères, 33210 Langon) (56 63 24 16). Du 1er juillet au 31 août t.l.j. de 10 h 30 à 19 h : exposition : *Jouets anciens et costumes d'époque 1880.*

——————

Au château de Vendeuvre (14170 Saint-Pierre-sur-Dives) (31 40 93 33). Du 1er juin au 15 septembre, t.l.j. de 14 h à 19 h : exposition *L'argenterie miniature,* joyaux d'orfèvrerie d'époque mesurant quelques centimètres.

SI VOUS AIMEZ LES SPECTACLES

Au château de la Bourbensais (Pleuguennec, 35720N St-Pierre de Plesguen). Tout l'été : présentation de meutes (99 69 41 95).
Au château de Veyrignac, Carlux (24370). Du 1er juin au 30 septembre : vols en montgolfière au départ du château. En fonction de la météo (53 28 13 56).
Au château d'Ainay-le-Vieil (18200 Saint-Amand-Montrond). Les 23-24 et 25 août : spectacle *Le Roman de Renart.* Adaptation de l'écrivain Maurice Genevoix (48 63 50 67).

À la tour de Largoët (56250 Elven). Du 1er juillet au 31 août, les vendredis et samedis à 22 h : Son et lumière *Tristan et Yseult* (99 42 06 27).
Au château de Goulaine (45115 Haute-Goulaine). Du 10 juillet au 2 août, t.l.j. sauf le mardi, de 14 h à 18 h. La volière des papillons tropicaux vivants, 200 papillons du monde entier volent en liberté dans une immense serre aménagée (40 54 91 42).

Marie-Claire, juillet 1990

6. **Vous avez des amis étrangers qui veulent assister au vernissage d'une exposition, ou à une première de spectacle. Vous leur écrivez, en consultant votre calendrier, la date exacte de chacune des manifestations qui figurent sur le programme.**

Le lundi 31 mai, à 19 h a lieu, au château d'Yvoire, le vernissage de l'exposition : "L'art des jardins en pays de Savoie, en Genevois et en Piémont du XVIIe au XIXe siècle."

> **Pour vous aider :**
> On inaugure une exposition...
> Le vernissage a lieu... ⎫
> La première a lieu... ⎭ la veille

....

....

....

....

....

....

....

Professions

7. Reliez entre eux les éléments concernant chaque personnage.

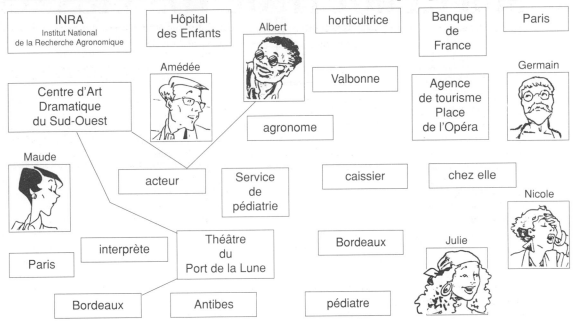

INRA Institut National de la Recherche Agronomique	Hôpital des Enfants
Albert	horticultrice	Banque de France	Paris

Amédée

Centre d'Art
Dramatique
du Sud-Ouest

Valbonne

Agence
de tourisme
Place
de l'Opéra

Germain

agronome

Maude

acteur

Service
de
pédiatrie

caissier

chez elle

Nicole

interprète

Théâtre
du
Port de la Lune

Bordeaux

Julie

Paris

Bordeaux

Antibes

pédiatre

8. Faites le procès-verbal d'un interrogatoire de police.

Albert Beaumont, 40 ans, né à Fort-de-France à la Martinique, demeurant 3, place St-Pierre à Bordeaux est acteur au Centre d'Art Dramatique du Sud-Ouest, au théâtre du Port de la Lune à Bordeaux.

....

....

....

....

....

....

....

9. Répondez "non" et complétez.

- Tu prends l'ascenseur ?   *- Non, je ne le prends pas, je descends par l'escalier.*

- Tu attends Pierre ?   - ....

- Il connaît cette femme ?   - ...., *il la voit pour la 1re fois.*

- Elle court le 100 mètres ?   - ....

- Vous portez les bagages ?   - ....*nous prenons un chariot.*

- Vous livrez les meubles le samedi ?   - ....*c'est jour de repos.*

- Tu prends les journaux ?   - ....*je n'ai pas le temps de les lire.*

- Tu réserves ta chambre ?   - ....

Offres d'emploi

1. Comprenez le sens général de ces annonces parues dans les journaux.

1

OFFRES D'EMPLOI

Société de distribution de films cherche secrétaire dynamique bilingue allemand du 18/06 au 31/10/90.
Se présenter le 15/06 à 8h au 50 bd Voltaire 75011 Paris.

2

ORCHESTRE DE PARIS

AVIS DE CONCOURS

Recrutement de
1 premier violon solo
(co-soliste)
Mercredi 16 et jeudi 17 janvier 1991
(Clôture des inscriptions : 31 décembre 1990)

●

Pour tous renseignements complémentaires
s'adresser à : ORCHESTRE DE PARIS
Service du Personnel - Services Techniques
SALLE PLEYEL 252, rue du Faubourg St Honoré
75008 Paris   Tél. 45 61 96 39

3

Vous savez :
• *dessiner,*
• *lettrer une affiche,*
• *travailler le bois.*
Vous vous intéressez aux décors de théâtre !

Le Club Atlantique vous propose de vous exprimer dans l'un de nos villages de vacances.
Dégagés des obligations militaires et familiales, libres de mai à octobre, 20 ans minimum, connaissance d'au moins une des trois langues suivantes : allemand, anglais, italien…
Envoyez votre dossier au Service Recrutement 18, Place de la République
75022 Paris Cedex 11

4

Assistante du Président

30 ans environ, vous êtes habituée aux contacts de haut niveau et maîtrisez parfaitement la sténographie, la dactylographie et l'anglais. Rigoureuse, rapide, organisée, vous saurez faire face à toutes les situations et une charge de travail importante. Envoyez CV, lettre manuscrite, photo et prétentions, sous la référence B/NL/MP aux Conseils en recrutement - 72 av. Foch - 75116 Paris.

LES CONSEILS
EN RECRUTEMENT

5

VILLE DE GENTILLY 94
recherche
UN MÉDECIN P .M.I.

Trois vacations par semaine

Adresser candidature et C.V. à :
Madame le Maire, Hôtel de ville
94257 GENTILLY Cedex

6 Hôtel Restaurant du Cheval blanc, La Réole, **CHERCHE** apprenti cuisine, présenté par parents. Tél. 56 20 03 40.

• Dans ces offres d'emploi, qui propose un emploi ?
- un particulier
- une société privée
- un organisme public
- on ne sait pas

• Quelle annonce propose :
- un emploi pour les vacances
- un emploi de quelques heures par semaine
- un emploi à long terme ?

• Pour quel emploi faut-il :
- parler plusieurs langues
- être une femme
- avoir moins de 30 ans ?

• Pour quel emploi faut-il :
- aimer la musique
- aimer la cuisine
- aimer bricoler ?

• Quelle annonce précise :
- le salaire
- le lieu de travail ?

• Quel est le lieu de travail ?
- Paris ou la banlieue
- la province

(code postal : Paris : 75 - Banlieue : 92, 93, 94)

2. Vous répondez à l'une de ces annonces, rédigez votre C.V (curriculum vitæ).

Nom : ....
Prénom : ....
Âge : ....
Adresse : ....

Diplômes : ....
Situation familiale : ....
Poste occupé actuellement : ....

• Pourquoi répondez-vous à cette annonce ? Parce que ....

Yahia, pas de chance

...fille douce au bord de l'âge d'amour et Versailles dans l'hiver, grise, ville compacte, repliée sur elle-même comme une vieille percluse de rhumatismes et Claudine, dans l'hiver, au bord d'un bassin, dans un grand manteau de chaleur ocre.

Dimanche après-midi, Jean-Paul malade, et Yahia errant dans le parc du roi.

Comment s'y prendre et dire le froid moins froid ?

Claudine toute proche, dans une haleine, et qui marche à sa poursuite, et le brouillard qui tombe et tourne autour des arbres, comme intimement. Et la parole qui creuse un détour dans la voix et qui meurt contre l'air qui l'emporte, essoufflée. Yahia qui marche près de Claudine. Jusqu'au bout du bassin ils vont et reviennent par l'allée. De temps en temps ils se sourient, comme s'ils se connaissaient de toujours. Pareil au sable, le silence est venu crisser les feuilles d'hiver. Claudine porte des bottines sombres sur un pantalon fuseau vert tendre. Ses mains, dans des gants de peau noire, posées sous le menton, tiennent le col du manteau, comme pour empêcher le froid de pénétrer plus avant la surface de la laine. Yahia, à côté de Claudine, marche en tapant dans ses bras, comme un oiseau du Grand Nord.

Nabile Farès, p. 109
Éd. du Seuil

• Où cette scène se passe-t-elle ? ....
....

• Quel jour ? .... • En quelle saison ? ....
....

• Est-ce que Jean-Paul est dans le parc du roi ? ....
....

• Qu'est-ce qu'il a ? ....

• Les deux personnages qui sont à Versailles sont-ils, à votre avis, deux garçons, deux filles, un garçon et une fille ? ....
....

• Est-ce qu'ils se connaissent bien ? ....
....

• Qu'est-ce qu'ils font ? ....
....

1. **Vous préparez pour un organisme officiel des questionnaires pour trois sondages.**

Les vacances

Les transports

Les médias

Choisissez pour chacun le public à interroger.

Le sexe	L'âge	La profession	Le lieu de résidence
hommes ☐	15-25 ans ☐	étudiants ☐	la ville ☐
femmes ☐	25-35 ans ☐	professions libérales ☐	la campagne ☐
	35-50 ans ☐	fonctionnaires ☐	la montagne ☐
	+ de 50 ans ☐	agriculteurs ☐	la mer ☐
		ouvriers ☐	

Pour chaque sondage, décrivez le public que vous allez interroger.

Les vacances

....
....
....

Les transports

....
....
....

Les médias

....
....
....

Choisissez les sous-thèmes de votre sondage.

• Pour chacun des thèmes cherchez quatre mots importants que vous écrivez autour du cercle.

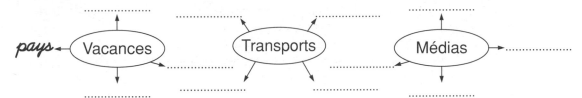

• Vous posez une question correspondant à chaque mot choisi.

Vacances   1. *Quels sont les pays que vous préférez visiter ?*

2. ....

3. ....

4. ....

Transports   1. ....

2. ....

3. ....

4. ....

Médias   1. ....

2. ....

3. ....

4. ....

Dites maintenant quand et où vous allez réaliser ces sondages. Rédigez un petit texte.

Les vacances	Les transports	Les médias
....	....	....
....	....	....
....	....	....
....	....	....
....	....	....

BILAN BILAN BILAN BILAN

Grammaire

Mettez dans les cases les numéros qui conviennent.

le 1 , la 2 , l' 3 , les 4 →
son 1 , sa 2 →
ce 1 , cet 2 , cette 3 →
c'est 1 , il est 2 →
1 , 2 , 3 , □ →
[n], [z], [t], [-]

3 étudiant, □ cliente, □ messieurs, □ médecin, □ avenues.
□ père, □ femme, □ amie, □ fille, □ école.
□ vendeur, □ actrice, □ écrivain, □ homme, □ personne.
□ ingénieur, □ un professeur, □ américain, □ Robert, □ un Belge.
des □ amis, un □ enfant, les □ voyageurs, c'est □ un client, c'est □ une □ amie.

du 1 , de la 2 , de l' 3 , de 4 , des 5
c'est un 1 , c'est 2 , ce sont des 3 →
oui 1 , non 2 , si 3 →
souvent à l'oral 1 , toujours à l'écrit 2 →
me 1 , moi 2 →
lui 1 , l' 2 , elle 3 , la 4 →
quel 1 , quelle 2 →
au 1 , en 2 , aux 3 →

de 1 , d' 2 , des 3 , du 4 →

l'eau □ piscine, l'histoire □ Grecs, le rire □ enfant, la lettre □ Marie, la fête □ printemps.
□ profession, □ date, □ réponses, □ jardin, □ journalistes.
Vous venez ? □ , d'accord. Vous ne sortez pas ? □ je vais à... Vous partez ? □ je reste là.
Tu n'as pas faim ? □ . T'as froid ? □ . T'es fatigué ? □ . Non, je ne suis pas fatigué □ .
Tu □ regardes. Parle- □ . Dis- □ si tu vas □ écrire. Tu penses à □ ?
Tu □ regardes, tu □ téléphones, tu penses toujours à □ , tu ne □ oublies pas.
□ belle fille ! □ beau film ! □ spectacle ! □ gentille personne !
Il part □ Chine. Elle est allée □ Japon. Nous restons □ Italie. Ils vont □ Canaries.
Ils passent un mois □ Philippines.
Elle rentre □ Canada. Elle revient □ Corée. Jean arrive □ États-Unis.
Elle rentre □ Espagne et lui □ Maroc.

Lisez ces répliques :

– Voici les enfants
– Regardez les enfants
– Je vois les enfants.

Remplacez "les enfants" par le pronom "les".
Indiquez où il se place, rayez le cadre inutile.

les 1 , les 2 , ⊠ →
e 1 , es 2 →
s 1 , x 2 →
-ons 1 , eons 2 , çons 3 →
e 1 , s 2 , es 3 , ⊠ →

□ voici □ , □ regardez □ , je □ vois □ .
Je cherch □ , tu travers □ , elle oubli □ , je remerci □ , tu continu □ , tu par □ ,
Tu sor □ , tu peu □ , tu vi □ , tu veu □ .
Nous critiqu □ , nous commen □ , nous chang □ , nous annon □ , nous mang □ .
Elle est allé □ , il est venu □ , elles sont arrivé □ , Joël et Elsa sont reparti □ .

Conjuguez.

	savoir	faire	vouloir	pouvoir	s'inscrire
Je					
Elles					

Mettez les numéros qui conviennent.

Ouverture : on ouvre 1 , on ferme 2 →
langue : on avance 1 , on recule 2 →
lèvres : on arrondit 1 , on tire 2 →

[fe → fi] □ , [mɛ → ma] □ , [nɔR → mo] □ , [pœR → pyR] □
[bif → byʃ] □ , [fø → fo] □ , [pɛR → pœR] □ , [pup → pip] □
[kɔs → kɛs] □ , [do → mi] □ , [pyl → pil] □ , [lup → lip] □

64

BILAN BILAN BILAN BILAN

Compréhension

Lisez ces phrases et remplissez les tableaux A et B.

1 - J'ai le plaisir de vous présenter notre nouveau chef de rayon, M. Hulot.
2 - On danse, Elsa ?
3 - Bonjour, je suis le nouveau facteur !
4 - Oh ! Hep ! Rémy !
5 - J'aimerais vous présenter ma femme Anna.
6 - À un de ces jours ! On se téléphone !
7 - On peut faire la réunion d'information demain, si vous le désirez.
8 - Tu as l'adresse de Jean-Paul ?
9 - Allô ? Est-ce que M. Bidibul est là, s'il vous plaît ?
10 - Bonjour ! C'est à vous ces beaux yeux ?
11 - On se tutoie, d'accord ?
12 - Bonjour à votre femme de ma part, cher monsieur.
13 - Je te la présente ?
14 - Oh, Julie ! Quelle surprise ! Ça va ?
15 - Allô ! Nestor Burma, inspecteur de police, à l'appareil.

A

	1	2	3	4	5	6	7	8	9	10	11	12	13	14	15
Présenter quelqu'un															
Se présenter															
Entrer en contact															
Se quitter															
Proposer quelque chose															
Demander une information															

B

On est dans une situation où :	1	2	3	4	5	6	7	8	9	10	11	12	13	14	15
On se connaît bien															
On ne se connaît pas															
On se connaît par relations sociales															
On ne sait pas															

Imaginez une réplique à chacune des 15 phrases ci-dessus.

Expression

Lisez cette annonce.

> Notre fille a 15 ans et désire correspondre avec un(e) jeune anglais(e) ou américain(e) de son âge. Isabelle est en seconde au lycée. Elle fait du sport (natation, planche à voile, tennis). Elle aime bien la musique et le cinéma. Un échange pendant les vacances est possible pour mieux se connaître. La Rochelle, l'été, est une bien jolie ville de bord de mer. Si vous êtes intéressé(e), écrivez à Isabelle Nappé, 17, rue du Château - 17000 La Rochelle.

Vous êtes intéressé par cette annonce. Vous écrivez une petite lettre à Isabelle pour vous présenter très précisément et dire pourquoi cette annonce vous intéresse. Vous pouvez aussi demander des renseignements complémentaires.

La mélodie de la phrase

LE COMMANDEMENT ET LA PARENTHÈSE (1-1)

LE CONSEIL, LA COURTOISIE ET LA PARENTHÈSE (2-2)

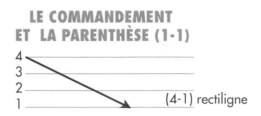

(4-1) rectiligne

(4-2+)

1. Indiquez le nom et la hauteur des mélodies.

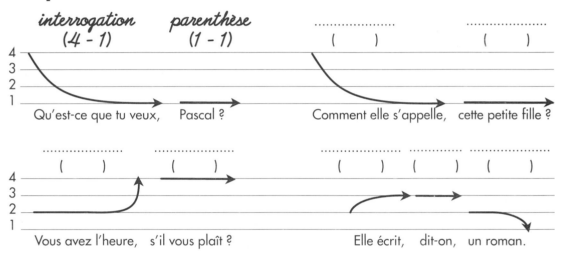

interrogation (4 - 1) *parenthèse* (1 - 1) ( ) ( )

Qu'est-ce que tu veux,   Pascal ?   Comment elle s'appelle,   cette petite fille ?

( ) ( ) ( ) ( ) ( )

Vous avez l'heure,   s'il vous plaît ?   Elle écrit,   dit-on,   un roman.

Jouez juste !

Objectif : apprendre à corriger.

ÉQUILIBREZ VOS VOYELLES ! C'EST IMPORTANT !

PENSEZ  ET DITES

i   Y   U

2. Observez :

il		
	pense	
elle		

mais

il		
	dit	
elle		

Elle déforme [y]
vers la gauche,
vers [i]
Elle dit [biʃ]
lui faire dire [buʃ] puis [byʃ]

Il déforme [y]
vers la droite,
vers [u]
Il dit [buʃ]
lui faire dire [biʃ] puis [byʃ]

3. Comment faites-vous pour corriger les mots suivants ?

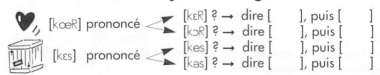

[kœR] prononcé   [kɛR] ? → dire [ ], puis [ ]
               [kɔR] ? → dire [ ], puis [ ]

[kɛs] prononcé   [kes] ? → dire [ ], puis [ ]
               [kas] ? → dire [ ], puis [ ]

Correspondance son ⇄ graphie

1. Prononcez puis écrivez

[byʃ]→[y]   [py], [ly], [vy], [ty], [dy], [puR], [myR], [dyR].

pu, ...

[tyf], [tyty], [futuR], [tyRlytyty], [by], [nyl].

tuf, ...

[yni], [pyniR], [myniR], [yniR], [myRiR].

uni, ...

[RyRal], [dɔdy], [tɔrdy], [yval], [yRina].

rural, ...

2. Lisez puis transcrivez (l, r, f sont prononcés en finale).

mûrir, primitif, mordu, tituber, dura, tordu.
[myRiR], ...
dubitatif, diminutif, furtif, murmura, muni.
[dybitatif], ...

3. Écoutez le professeur et mettez une croix : X

		1	2	3	4	5	6	7	8	9	10	11	12	13
[mim]	→ i	X												
[byʃ]	→ y		X											
[buʃ]	→ u			X										

4. Prononcez puis écrivez :

[buʃ]→u   [u], [pu], [fu], [uf], [puf], [tuR], [puR], [lulu].

ou, ...

[puRtuR], [matu], [muRiR], [fuRniR], [filu], [labuR], [butyRa].

pourtour, ...

5. Lisez puis transcrivez.

fourbu, fourmi, fournir, fourbir, voulu, manitou, moulu.

[fuRbu], ...

6. Avec les trois indices, trouvez le mot secret de l'exercice 7 ou 8.

langue →   ← langue

Conjugaison

1. **Vous êtes journaliste à la télévision. Vous avez commenté ces événements en direct. Qu'est-ce que vous avez dit ?**

ÉVÉNEMENTS

COMMENTAIRES

1. Après la fin du premier Conseil des ministres, les ministres sont sortis sur le perron de l'Élysée et ont posé pour les photographes.

• Vous étiez à l'Élysée

Le premier Conseil des ministres vient de finir. En ce moment, les ministres sortent sur le perron de l'Élysée. Ils vont poser pour les photographes.

2. Le cortège des manifestants s'est formé place de la Bastille. Il est parti vers la Chambre des députés par la rue de Rivoli et s'est dirigé ensuite vers Matignon.

• Vous étiez place de la Bastille

....
....
....

3. Une explosion a eu lieu rue des Rosiers. Il y a eu de nombreux blessés. Heureusement, les secours sont arrivés très vite.

• Vous étiez rue des Rosiers

....
....
....

4. Titouan Lamazou, vainqueur du tour du monde en solitaire est enfin arrivé aux Sables-d'Olonne. Il nous a semblé fatigué mais il a quand même fêté sa victoire avec ses amis.

• Vous étiez aux Sables-d'Olonne

....
....
....

5. Les deux présidents ont eu un entretien d'une heure. M. Bush a raccompagné M. Mitterrand et ce dernier a répondu aux questions des journalistes.

• Vous étiez à la Maison Blanche

....
....
....

2. **Au théâtre. Dites ce qu'ils font ou ne font pas.**

Faire la queue — Acheter les billets — Vendre les programmes — Jouer dans la pièce — Applaudir — Voir les coulisses — Apprendre la pièce par cœur.

LES SPECTATEURS (vous êtes spectateur, vous dites : je)	LES ACTEURS	L'EMPLOYÉ(E) À L'ENTRÉE
Je fais la queue	*Ils ne font pas la queue*	*Il/elle ne fait pas la queue*
....	....	....
....	....	....

Du verbe au nom : -ation

3. **Composez les titres d'un journal à partir des textes.**

TEXTES	TITRES
• Les journalistes d'Antenne 2 informent : " En raison de la grève du personnel nous ne pouvons vous présenter ce soir le journal de 20 heures. Veuillez nous excuser. "	• *Information des journalistes* *A2 : pas de présentation du journal de 20 heures, ce soir.*
• Les verts déclarent : " Nous ne manifestons pas demain à la centrale nucléaire de Golfech, le ministre a accepté de nous recevoir. "	• ....
• Le recteur de l'Université Paris-Dauphine affirme : " En raison du trop grand nombre d'étudiants, nous n'inscrivons pas cette année les redoublants de 1re année. "	• ....
• Le couturier Bhadior révèle : " En raison de la situation sociale perturbée par de nombreuses grèves, je ne présente pas cette année ma collection d'hiver. "	• ....

Jeux et énigmes

4. **Remettez de l'ordre dans ces titres.**

- Disparition d'un porte-avions dans l'hexagone.
- Défilé de mannequins dans le triangle des Bermudes.
- Réunion de l'état-major dans la cour Carrée du Louvre.
- Manifestations écologiques dans les bureaux du Pentagone.

....

....

....

....

Localisation

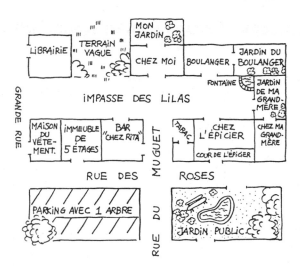

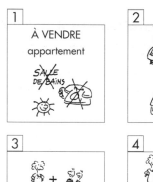

5. **L'impasse des Lilas, c'est chez vous. Répondez aux questions de façon précise.**

- Où habite votre grand-mère ? *Elle habite au fond de l'impasse des Lilas, à droite.*

- Où est son jardin ? ....

- Où est l'épicier ? ....

- Où est situé le tabac ? ....

- Où y a-t-il un immeuble ? ....

- Où est le terrain vague ? ....

- Y a-t-il un bar ? Où ? ....

- Et la fontaine, où est-elle ? ....

- Et vous, où habitez-vous ? ....

- Vous avez un jardin ? Où est-il ? ....

- Où est l'arbre du parking ? ....

- Y a-t-il un jardin public ? Où ? ....

- Où est le boulanger ? ....

6. **Rédigez les petites annonces illustrées ci-dessus.**

1. *A vendre appartement sans salle de bains et sans téléphone mais avec soleil.*

2. ....

3. ....

4. ....

Alimentation

7. **Dites dans quel restaurant vous invitez chacun d'eux. Utilisez "pourquoi/parce que".**

Amédée aime les très bons vins. **Maude** ne boit pas de vin, elle aime un beau cadre et la tradition. **Germain** est végétarien et **Julie** n'aime pas la viande. **Nicole** préfère la cuisine étrangère et **Albert** aime la cuisine de son île natale.

Près de la Gare de l'Est
PARIS-DAKAR
Spécialités sénégalaises
Recom. par Gault et Millau
95, rue du Fg-St-Martin (10e) - Rés. : 42.08.16.64 - T.l.j.

Entre MADELEINE et ST HONORE
BLEU CANARD
Votre nouveau restaurant
Cuisine traditionnelle
dans un cadre XVIIIème s.

MADININA 17, rue Saint-Denis 42.36.02.75
La cuisine antillaise telle qu'on l'apprécie aux Antilles
À midi, repas de groupes sur réservation
Tous les soirs de 19 h 30 à 1 h du matin - Mo Châtelet

TAN DINH
La fabuleuse carte des vins, peut-être la plus complète du monde, dans les meilleurs crûs et les meilleurs millésimes (Gault-Millau)
60, r. de Verneuil (7e) Service assuré jusqu'à 23 h 15
Parking : Bac-Montalembert. F. dim. Tél. 45.44.04.84

BOL EN BOIS, 35, rue Pascal, 47.07.27.24. F. Dim. Sce jsq 22 h. Ce restaurant voué aux spécialités naturelles et macrobiotiques se complète d'une épicerie (en face) et d'une librairie spécialisée (à côté). Carte env. 100 F t.c. Menu « zen » à 82 F.

la **criée**
RESTAURANTS DE POISSON ET DE FRUITS DE MER

Je vais inviter Maude au "Bleu Canard" parce qu'elle apprécie la cuisine traditionnelle dans un beau cadre du XVIIIe siècle.

....

....

....

8. **Au marché, qu'est-ce qu'ils vont acheter ?**
Utilisez : "du, de la, des, un peu de, beaucoup de".

1. le vin
2. la bière
3. le coca
4. le lait
5. le jus de fruit
6. le poulet
7. la viande
8. le jambon
9. le saucisson
10. les carottes
11. les tomates
12. les pommes de terre
13. la salade
14. le beurre
15. les œufs
16. le fromage
17. la banane
18. la pomme
19. la poire
20. le raisin
21. le sucre
22. le café
23. le thé
24. le poisson
25. les coquillages
26. des pâtes
27. du pain

Germain et Julie : ....

Nicole et Albert : ....

Logements de vacances : louez vite, louez bien

1. Comprenez le sens général.

1

*** OCEAN' HOTEL - LOISIRS
L'Amélie 33780 Soulac-sur-Mer Tél. 56.09.78.05

Dans un site magnifique à 1 300 m de la plage, au milieu de pins. Piscine, salle de mise en forme, ping-pong, espace jeux pour enfants, pétanque. Atmosphère chaleureuse où règnent des temps de silence, de repos, de détente. Une valeur sûre, la restauration est notre point fort. Documentation gratuite sur demande. Animaux non admis.

Offre de vacances à prix exceptionnels.
Demi-pension : par personne et par jour en chambre double, bain ou douche/ wc. 02/05-31/05 ; 24/09-30/09 : 172 F. 01/06-17/06 ; O1/09-23/09 : 209 F. 18/06-31/08 : 260 F.
Enfants logés dans la chambre avec 2 personnes jusqu'à 7 ans gratuit, de 7 à 11 ans, 109 F.

2

AVEYRON - MOSTUEJOULS. Gorges du Tarn, rivière à 500 m, canotage, pêche, montagnes alentour, site et vue magnifiques sur grande route et vallée, excursions, équitation. Loue toutes saisons logts récents, indépts au mois ou quinzaine, cuisine, 2 chambres 3 lits, tout confort, chauffage central, terrasse, garage, parking municipal 200 m.
M. GARLENQ Louis, Mostuejouls, 12720 PEYRELEAU. Tél. : (16) 65.62.63.15. N° 00 115

3

ÉCHANGES HAUTES-PYRÉNÉES/PARIS - À 6 km de St-Lary (65) Échangerais mois d'août (1er au 31) gde maison + tennis - confortable - 5 ch- gd salon campagne - calme - belle vue sur montagnes contre petit studio centre Paris.
IN/EMV 231/4

4

LANDES - Au cœur de la forêt landaise, à 10 mn des immenses plages de l'Atlantique, et sur un camping-caravaning de grand standing classé 4 étoiles, possédant piscines, pataugeoire, tennis, mini-golf, ping-pong, jeux et animation. Nous louons à la semaine :
Des chalets bois meublés équipés 6 personnes avec kitchenette, douche, 3 chambres. De 1 800 F à 3 200 F.
Des chalets bois meublés équipés pour 4 personnes avec kitchenette, douche, 1 chambre séparée. De 1 950 F à 2 800 F.
Des chalets bois type studios, meublés équipés pour 4 personnes, avec kitchenette, douche, w.-c. De 1 680 F à 2 400 F.
M. DAGREOU Claude, lieudit Montaut, 40110 ONESSE-LAHARIE.Tél. : 58.07.30.82 N° 01 806

5

LOUEZ UN BATEAU HABITABLE SANS PERMIS ET OUBLIEZ LE TEMPS QUI COULE...

OÙ ?
Des châteaux de la Loire à l'océan Atlantique : les rivières des Pays de la Loire (Maine, Mayenne, Oudon, Sarthe, Erdre) vous offrent plus de 300 km de paysages sans cesse renouvelés entre Angers, Laval, Le Mans et Redon.

COMMENT?
Sur l'un des 150 bateaux proposés par 10 sociétés de location. Ils peuvent accueillir de 2 à 12 personnes dans des cabines confortables. Vous pouvez les louer à la semaine, à la mini-semaine (du lundi au vendredi), ou au week-end.

6

DORDOGNE - ROUFFIGNAC - Au cœur du Périgord, près des grands sites préhistoriques. Route des vins, circuits gastronomiques. Loue maison de campagne pour 3 à 5 pers. - sans jardin.
BOURDEILH Roger, le servenier, Lembras 24100 Bergerac - N° 09269

• Quels sont les départements mentionnés par les petites annonces ?

....

• Regardez le code postal et dites dans quelles régions françaises ils se trouvent (aidez-vous de la page 102 de votre livre) :

....

• Dans quelles régions y a-t-il :

des sites préhistoriques : .... des châteaux : ....

des montagnes : .... la mer : ....

• Quelle(s) annonce(s) concerne(nt) :

la plage ☐   la ville ☐   les rivières et les fleuves ☐
la montagne ☐   plusieurs de ces lieux ☐   la campagne ☐

• Pour vous loger vous pouvez :

1. *louer une maison ou un appartement*   2. ....

3. ....   4. ....

• À quelle annonce répondez-vous si vous désirez :
ne pas dépenser d'argent pour vous loger ☐   visiter des sites touristiques ☐
goûter les produits de la région   vous reposer loin de tout
avoir une maison avec le confort   marcher
ne pas faire de cuisine ni de courses   partir avec des enfants

Le ciel est par-dessus le toit...

1   Le ciel est, par-dessus le toit,
2   Si bleu, si calme !
3   Un arbre, par-dessus le toit,
4   Berce sa palme.
5   La cloche, dans le ciel qu'on voit,
6   Doucement tinte.
7   Un oiseau sur l'arbre qu'on voit
8   Chante sa plainte.
9   Mon Dieu, mon Dieu, la vie est là,
10   Simple et tranquille.
11   Cette paisible rumeur-là
12   Vient de la ville.
13   – Qu'as-tu fait, ô toi que voilà
14   Pleurant sans cesse,
15   Dis, qu'as-tu fait, toi que voilà,
16   De ta jeunesse ?

VERLAINE, *Sagesse*

- Dans ce poème, il y a :
  - de 5 à 10 mots inconnus ☐
  - plus de 10 mots inconnus ☐

- Berce sa palme :
  - le mouvement est lent ☐
  - le mouvement est rapide ☐

- La cloche tinte :

  fort doux
  - la cloche tinte c'est ☐ ☐
  - la cloche sonne, c'est ☐ ☐

- La plainte :
  - on se plaint quand on est malheureux ☐
  - on se plaint quand on est content ☐

- La rumeur :
  - c'est un bruit clair, à côté ☐
  - c'est un bruit sourd, loin ☐

- Indiquez les vers qui correspondent aux phrases suivantes :

  - Il y a une branche qui se balance doucement. ☐
  - Dans l'arbre un oiseau chante tristement. ☐
  - Au-dessus de la maison, le ciel est bleu et ne bouge pas. ☐
  - Dehors, c'est le calme, il fait bon vivre. ☐
  - On entend le son d'une cloche. ☐
  - Qu'est-ce que j'ai fait de ma jeunesse ? ☐
  - On entend le bruit lointain de la rue. ☐
  - Qu'est-ce que j'ai fait, moi qui n'arrête pas de pleurer ? ☐

- À votre avis, où est-il ? Que fait-il ? ....

- Vous aimez ce poème : oui ☐ non ☐

- Vous savez pourquoi : oui ☐ non ☐ . Si oui, dites-le.

1. Vous présentez, dans un guide touristique, une ville que vous connaissez bien.

Rédigez une présentation de la ville choisie en répondant au questionnaire (vos réponses l'une à côté de l'autre forment un texte suivi).

- Comment s'appelle-t-elle ? ....

- Où est-elle située ? ....

- Combien y a-t-il d'habitants ? ....

- Quel est son climat ? ....

- Comment est-elle ? ....
  (pittoresque - ancienne - industrielle - moderne - touristique)

- Est-ce que vous y allez souvent ? ....

  Pourquoi ? ....

Faites la liste des lieux à visiter en fonction du public.

- pour des enfants de 6 à 12 ans : ....

  ....

- pour des jeunes de 15 à 25 ans : ....

  ....

- pour des étudiants en lettres : ....

  ....

- pour des étudiants en sciences : ....

  ....

- pour des personnes intéressées par l'art : ....

  ....

- pour des activités commerciales : ....

  ....

2. Donnez des informations sur deux de ces lieux.

Intérêt artistique

Nom du lieu : ....

Emplacement dans la ville : ....

....

....

Intérêt de la visite : ....

....

....

....

Intérêt sportif ou commercial

Nom du lieu : ....

Emplacement dans la ville : ....

....

....

Intérêt de la visite : ....

....

....

....

3. Donnez des conseils utiles sur les hôtels et les restaurants.

Liste des hôtels que vous recommandez :

....

....

....

....

Présentez celui que vous préférez :

Son emplacement : ....

....

....

Les commodités qu'il offre à ses clients :

....

....

....

....

Pourquoi le recommandez-vous ?

....

....

....

....

Liste des restaurants que vous recommandez :

....

....

....

....

Présentez celui que vous préférez :

Son emplacement : ....

....

Son cadre : ....

....

Ses spécialités : ....

....

....

Pourquoi le recommandez-vous ?

....

....

....

....

La mélodie de la phrase

4
3
2
1

En car, avec mes bagages...

L'IMPLICATION 2-4 (–)

C'est une mélodie (2-4) suivie d'une petite descente sur la dernière syllabe (2-4 –). Elle exprime des sous-entendus comme : "vous n'y pensez pas !" ou "tant mieux !", etc.

1. Dessinez les mélodies et écrivez leurs noms. Faites les gestes correspondants.

4
3
2
1

On marche, on va à pied, on se dépêche, sous la pluie. Quel bonheur ! (appréciation)
2-3   2-3   2-4   2-1   4-2 (+)

4
3
2
1

À pied sous la pluie ! Ah non ! Sous la pluie, sans imperméable..., pas question !
2-4 (–)   1-1   2-3   2-4 (–)   1-1

Jouez juste !

La localisation dans l'espace.

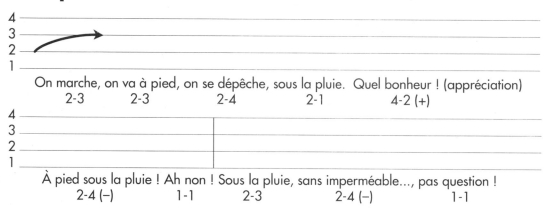

[i] ici, ...

[ɛ] à l'est, ...

[a] là, ...

[y]

[w] ....

[u] ....

[o] ....

[ɔ] ....

[ã] ....

[ɑ] là-<u>bas</u> ....

2. Classez les mots sur la lyre.

ici, là, à l'est, en face, devant, dans, dehors, à gauche, où, sous, sur, d'ici, à l'ouest, par là, là-bas, dedans, entre, au centre, au nord, plus haut, là-haut, dessous, en dessous, loin, dessus, au sud, par ici, en arrière, par-derrière, en bas, en avant, entre, par-devant, en haut, par-dessous, au-dessus, par-dessus.

Attention, pour le classement, "à, en, par" ne comptent pas.

Correspondance son ⇄ graphie

1. **Écoutez le professeur et mettez une croix pour** [ø] **en haut, pour** [œ] **en bas.**

		1	2	3	4	5	6	7	8	9	10
[døfø]	ø										
[nœfdəkœʀ]	œ										

2. **Prononcez :**

1 [nœf, byʃ, gɔm]   2 [gɑ̃, põ, dø]

Voyez-vous une différence entre les syllabes de 1 et de 2 ?
En langue parlée :
une *syllabe fermée* (s. f.) est terminée par un *son consonne* : [nœf]
une *syllabe ouverte* (s.o.) est terminée par un *son voyelle* : [gɑ̃]

3. **Écoutez le professeur et mettez une croix pour s.o. en haut, pour s.f. en bas.**

	1	2	3	4	5	6	7	8	9	10
s.o.										
s.f.										

4. **Marquez d'une même couleur les représentations graphique et phonétique d'un même mot.**

bleu feu neuf fleur jeu pneu peur

[fø] [ʒø] [pœʀ] [blø] [nœf] [flœʀ] [pnø]

5. **En les entourant avec des couleurs différentes, groupez les mots en deux ensembles** [ø] **et** [œ]**.**

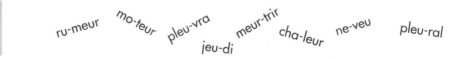

ru-meur mo-teur pleu-vra jeu-di meur-trir cha-leur ne-veu pleu-ral

6. **Lisez puis transcrivez.**

fumeur, bleuir, veuf, mineur, laboureur, neveu, tuteur.
[fymœʀ], ...

imitateur, moniteur, aveu, torpeur, fleurir, douleur, doreur.
[imitatœʀ], ...

7. **Avec les indices, trouvez les deux mots secrets de l'exercice 6.**

Conjugaison

1. **En ce moment Albert répète une pièce de théâtre, *La société de chasse* de T. Bernhard. Il a un emploi du temps chargé et sa voiture est en panne. Hier il n'a pas pu tout faire. Voici un extrait de son agenda d'hier :**

LUNDI **27**

8
9 Librairie livre d'histoire Marie
30 Coiffeur
10 Répétition

11

12 Nicole - Restaurant
13 Expo Chagall

14
30 Dentiste
15 Répet

16

17 Lycée : réunion parents d'élèves
18 Courses

• Dites ce qu'il a fait : ....
....
....
....

• Dites ce qu'il n'a pas fait et ce qu'il a fait à la place :
....
....
....

Notre, votre, leur - Nos, vos, leurs.

À la foire	À la gare	À la piscine
Les enfants ne peuvent pas monter sur la Grande Roue sans leurs parents.	Les usagers sont priés de composter leur billet avant de monter dans le train.	*Les baigneurs sont priés de ne pas laisser leurs affaires dans les vestiaires. Ils doivent les ranger dans leur casier.*

2. **Transformez ces consignes en conseils, adressez-vous aux gens directement.**

Enfants !
Vous ....
....
....
....

Attention !
Vous ....
....
....
....

Baigneurs,
Ne ....
....
....
....

3. **Complétez ces faire-part.**

Lola Diaz et Jean Le Gall vous informent que ..... nouveau restaurant "Pâte à crêpes" ouvrira .... portes jeudi 3 juin à 20 h. Ils vous y accueilleront avec .... nouvelles recettes.

Aline, Claude Dubois et .... enfants ont la joie de vous annoncer la naissance de ...... fille et de .... sœur Marion le 12 août 1990.

Nous sommes heureux de vous informer de la réouverture de .... magasin "Bout de chou". Voici .... nouvelle adresse, 10, rue du Tondu Bordeaux. Nous vous y attendons avec ...... nouvelles collections.

Du verbe au nom

4. **Transformez les phrases en utilisant un nom terminé par -ation.**

	(passionnante)	(ennuyeuse)
Le professeur a expliqué un poème	*Les explications du professeur sont passionnantes*	*Les explications du professeur sont vraiment ennuyeuses*
	(originale)	(sans intérêt)
Le speaker a présenté l'écrivain	....	....
	(complète et intéressante)	(incomplète et compliquée)
Le guide a informé les touristes	....	....
	(excellente)	(mauvaise)
L'interprète a traduit le commentaire du guide	....	....
	(amusante)	(injustifiée)
Les animaux ont revendiqué	....	....

5. **Écrivez les noms correspondants :**

consulter *la consultation*   présenter ....   illustrer ....

préparer ....   dramatiser ....   circuler ....

observer ....   indiquer ....   publier ....

Jeux et énigmes

6. **Zigzag sur la presse**

1 - Il paraît chaque jour. Il paraît aussi chaque jour. C'est un périodique illustré qui traite des sujets divers. Il paraît chaque mois. C'est un périodique sur l'art ou la science, etc. C'est un écrit dans la presse. Il écrit un livre.

2 - Il paraît chaque année. C'est le nombre d'exemplaires tirés, imprimés. Celui de ce livre s'appelle Larousse. Celui de ce livre est "La Clé des champs".

Questions

7. **Reformulez la question, vous supprimez "est-ce que".**

A et B attendent C et D qui n'arrivent pas. *(faire)*

A : *Mais qu'est-ce qu'elles font ? !*

B : *Oui vraiment, que font-elles ? !*

Attendre pour traverser, pouvoir écrire, chercher dans sa poche, vouloir faire.

A : ....

B : ....

A : ....

B : ....

A : ....

B : ....

A : ....

B : ....

D'accord, pas d'accord

8. **Vous discutez avec des amis et vous n'êtes pas tous du même avis. Regardez le dessin puis faites l'exercice.**

Pas loin   Pas tellement loin   loin   Très loin   Trop loin

☺ - -   ☺ -   😐 •   ☹ +   😣 + +

- *On va à Toulouse ? C'est à 120 km ! C'est loin !*
- *Oui, c'est loin !*
- *Non, ce n'est pas loin !*
- *Ce n'est pas tellement loin !*
- *C'est trop loin !*
- *C'est très loin !*

....

....

....

....

....

....

À / EN

9. **Indiquez qui parle et qui répond, écrivez le mini dialogue correspondant et choisissez la situation.**

VOUS ALLEZ À PARIS ? **1**	TU AS PRIS L'AVION ? **5**	À CÔTÉ DE LA MAIRIE DERRIÈRE VOUS. **A**	ELLE SORT D'ICI. **B**
ON SORT CE SOIR ? **2**	OÙ EST-CE QU'ON VA ? **6**	OUI, EN TRAIN. **C**	J'AIME BIEN ALLER AU CINÉMA. **D**
LE COMMISSARIAT S'IL VOUS PLAIT ? **3**	VOUS Y ALLEZ COMMENT ? **7**	NON, ON RESTE LÀ. **E**	NON, J'AI PEUR DE MONTER EN AVION. **F**
QU'EST CE QUE VOUS AIMEZ FAIRE ? **4**	OÙ EST ELSA ? **8**	À PIED, C'EST PRÈS D'ICI. **G**	NULLE PART ON RESTE ICI. **H**

PERSONNAGES	DIALOGUES	SITUATION
1 parle à C, C lui répond.	— *Vous allez à Paris ?* — *Oui, en train.*	• Ils sont dans la rue, ils parlent d'un voyage.
2 parle à	— .... —	• ....
3	— .... —	• ....
4	— .... —	• ....
5	— .... —	• ....
6	— .... —	• ....
7	— .... —	• ....
8	— .... —	• ....

La presse

①

③

②

- Ces journaux sont :
  - des quotidiens ☐
  - des hebdomadaires ☐
  - des mensuels ☐
- À votre avis, quel journal est un quotidien
  - régional ☐
  - d'information nationale ☐
  - organe d'un parti ☐
- Quelles informations mettez-vous plutôt en relation avec chacun d'eux ?
  - problèmes économiques internationaux ☐
  - problèmes sociaux ☐
  - relations politiques internationales ☐
  - problèmes de la vie quotidienne ☐
- Mercredi 19 septembre 1990, quel quotidien achetez-vous si :
  - vous aimez la lecture ☐
  - vous travaillez en banlieue parisienne ☐
  - vous vous intéressez aux derniers événements sportifs ☐
  - vous aimez l'acteur Michel Serrault ☐
  - vous êtes employé à la Sécurité sociale ☐
  - vous êtes victime de l'été, trop sec cette année ☐

Jour de silence à Tanger

C'est l'histoire d'un homme leurré[1] par le vent, oublié par le temps et nargué[2] par la mort.

Le vent vient de l'Est, dans la ville où l'Atlantique et la Méditerranée se rencontrent, une ville faite de collines successives, enrobée[3] de légendes, énigme douce et insaisissable.

Le temps débute avec le siècle ou presque. Il forme un triangle dans l'espace familier de cet homme qui a tôt — il avait douze ou treize ans — quitté Fès pour aller travailler dans le Rif, à Nador et Melilla, pour revenir à Fès durant la guerre et émigrer dans les années cinquante avec sa petite famille à Tanger, ville du détroit, où règnent le vent, la paresse et l'ingratitude[4]. [...]

Pour le moment, il est couché et s'ennuie. Il voudrait sortir, traverser une partie de la ville à pied, s'arrêter au Grand Socco pour acheter du pain, ouvrir sa boutique et se remettre à tailler des djellabas dans la grande pièce de tissu blanc. Mais la bronchite le cloue[5] au lit, et le vent d'Est chargé de pluie est plus dissuasif que les consignes du médecin. La maison est froide. L'humidité dessine des lignes de moisissure verte sur les murs. La buée[6] sur les vitres des fenêtres tombe sur le cadre en bois qui pourrit lentement.

Tahar Ben Jelloun, Éd. du Seuil

(1) leurré : trompé
(2) nargué : regardé avec insolence
(3) enrobée : enveloppée
(4) l'ingratitude : le manque de reconnaissance
(5) le cloue au lit : l'oblige à rester au lit
(6) la buée : la vapeur d'eau

• Dans quel pays se passe cette histoire ? ....

• De quelles villes parle-t-on ? ....

• Cherchez les mots qui correspondent à l'impression que vous avez à la lecture du texte : ....
....

• Donnez des renseignements sur le personnage :

  - Sexe ....

  - Profession ....

  - Lieu de naissance ....

  - Lieux où il a habité ....

  - Où vit-il actuellement ? ....

  - Aime-t-il cette ville ? ....

  - Sa maison est-elle confortable ? ....

  - Pourquoi ? ....

  - Que fait-il pour le moment ? ....

  - Que voudrait-il faire ? ....

  - Va-t-il le faire ? ....

1. Vous voulez changer de domicile ? Vous écrivez à une agence immobilière.

Où voulez-vous habiter ?

Dans une ville ☐   À la campagne ☐
Près du centre ville ☐   Dans un village ☐
À la périphérie ☐   En pleine campagne ☐

• Quelle durée de transport êtes-vous disposé à mettre entre votre nouveau domicile et votre lieu de travail ? ....

• Quel moyen de transport préférez-vous utiliser ? ....

Que souhaitez-vous ?

- En ville : une maison neuve ☐   ancienne ☐
          de style moderne ☐   traditionnel ☐

- En banlieue : une maison individuelle ☐
             un appartement ☐
             surface de jardin souhaitée : ....

- À la campagne : une maison de maître ☐
               une ferme rustique ☐
               surface de terrain souhaitée : ....

• Voulez-vous : acheter ☐ , louer ☐ ?

Actuellement :   oui   non
• si vous êtes propriétaire, envisagez-vous de vendre votre logement ? ☐   ☐
• si vous êtes locataire, quel est le montant de votre loyer ? ....

Préparez le texte de votre lettre. Décrivez l'endroit où vous voulez habiter et les conditions souhaitées.

Vous pouvez utiliser :
| je souhaite
| je désire
| je veux, je voudrais
| je préfère
| j'aime
| ....

ACTIVITÉS D'EXPRESSION ÉCRITE

Comment voulez-vous votre maison ?

croquis extérieur	Vous voulez une maison : de plain-pied ☐
	en forme de L ☐
	avec un étage ☐
	Vous désirez une surface habitable de .... m²
	Nombre de pièces ☐
plan intérieur	Nombre de chambres ☐

Vous voulez :
- une cheminée dans la salle de séjour ☐
- un garage accolé ☐ en sous-sol ☐
- une cuisine aménagée ☐ non aménagée ☐

Préparez la suite de votre lettre. Décrivez en détail la maison que vous souhaitez.

....

....

....

....

Maintenant vous faites votre lettre. Attention à la présentation.

....

....

....

....

....

....

....

....

....

....

....

....

....

....

Je vous remercie d'avance pour tous les renseignements que vous pouvez m'envoyer.

Veuillez agréer mes salutations distinguées.

signature

La mélodie de la phrase

1. **Indiquez le niveau et le nom de la mélodie pour : "Antoine" - Attention à la ponctuation.**

```
4
3
2                                                    niveau : ........................
1 ─────────────────────────────►                     nom : ...........................
  Qui est-ce qui va m'emmener au cinéma,   Antoine ?
```

```
4
3
2                                                    niveau : ........................
1 ─────────────────────────────►                     nom : ...........................
  Qui est-ce qui va m'emmener au cinéma ?   Antoine ?
```

```
4
3
2                                                    niveau : ........................
1 ─────────────────────────────►                     nom : ...........................
  Qui est-ce qui va m'emmener au cinéma ?   Antoine. (catégorique)
```

```
4
3
2                                                    niveau : ........................
1 ─────────────────────────────►                     nom : ...........................
  Qui est-ce qui va m'emmener au cinéma ?   Antoine. (évidemment)
```

Imaginez quatre phrases semblables montrant l'importance de la mélodie pour la compréhension.

Jouez juste !

Chanson d'automne

Les sanglots longs
Des violons
De l'automne
Blessent mon cœur
D'une langueur
Monotone

Tout suffocant
Et blême quand
Sonne l'heure
Je me souviens
Des jours anciens
Et je pleure

Paul Verlaine

2. **Dans cet extrait de *Chanson d'automne* de Paul Verlaine :**

1. soulignez les voyelles nasales ;
2. indiquez la voyelle orale et l'ouverture correspondante ;
3. dites si les lèvres sont "arrondies" ou "tirées" (voir unité 4).

sanglots [ã] → [a] → 4 → ⬭

....

....

....

U9 DES SONS À LA GRAPHIE

Correspondance son ⇄ graphie

1. Prononcez puis écrivez.

[mõ-põ] → [õ]   [mõtœR], [RõdœR], [tõdœR], [fõdœR], [põtõ].

[õ] et [œ]   *monteur,* ....

2. Lisez puis transcrivez.

[õ-a-i-y-u]   [miRlitõ], [bidõ], [bõbõ], [filõ], [tõdy], [pilõ], [butõ], [fõdy].

mirliton, ...

[bulõ], [paRdõ], [põdy], [mutõ], [lardõ], [bõdiR].

boulon, ...

3. Lisez et indiquez si la voyelle est orale [ɔ] ou nasale [õ].

font : ... , bonne : ... , monde : ... , bon : ... , tonne : ... , son : ... , sonne : ... ,

mon : ... , personne : ... , monte : ... , colonne : ... , gomme : ... .

4. Prononcez puis écrivez.

[buʃ] → [ʃ] : *ch*   [ʃu], [ʃipɔlata], [fiʃy], [pɔlɔʃõ], [ʃaR], [buʃõ], [ʃatõ], [ʃiʃi].

chou, ...

5. Lisez puis transcrivez.

charbon, chaleur, toucha, charmeur, chineur, chardon, pacha.

[ʃaRbõ], ...

6. Prononcez puis écrivez.

[brətaɲ] → [ɲ] : *gn*   [ɲõ], [ɔɲõ], [pɔɲõ], [ʃiɲõ], [piɲõ].

gnon, ...

7. Lisez puis transcrivez.

pignouf, fignola, mignon, rognon, lorgnon.

[piɲuf], ...

8. Lisez puis écrivez.

[mɔtœR], [nɔRmal], [fyRtif].

moteur, ...

9. Prononcez et transcrivez.

petit,   pas,   nord,   pont.
[pəti], ...
blonde,   petite,   mime,   bûche.
[blõd], ...

Conjugaison : le passé composé pronominal

1. **Voici une chanson modifiée. Retrouvez la chanson du film de Truffaut *Jules et Jim* chantée par Jeanne Moreau. Pour cela mettez cet extrait au passé composé.**

On se connaît on se reconnaît → *On s'* ....
(...)
On se retrouve on se sépare ....
Et on se réchauffe ....

Chacun pour soi repart → *Chacun* ....
Dans le tourbillon de la vie ....
Je la revois un soir, ah la la ! ....
Elle retombe dans mes bras ....
Elle retombe dans mes bras

Quand on se connaît → *Quand* ....
Quand on se reconnaît ....
Pourquoi se perdre de vue ....
Se reperdre de vue ....
Quand on se retrouve ....
Quand on se réchauffe ....
Pourquoi se séparer ? ....

Alors tous deux on repart → *Alors* ....
Dans le tourbillon de la vie ....
On continue à tourner ....
Tous les deux enlacés ....
Tous les deux enlacés ....
Tous les deux enlacés ....

Observez ! Le participe passé employé à la forme pronominale s'accorde avec [   ]

Le futur

2. **Quelles sont les quatre bonnes résolutions (réalisables) que vous prendrez pour l'année prochaine et que vous respecterez ?**

J'irai à la piscine avec les enfants, comme ça ils apprendront à nager.

1. ....
2. ....
3. ....
4. ....

Observez ! Au futur, le verbe se termine par : [   ]

Informations

3. **Retrouvez le logo et l'information écrite correspondante.**

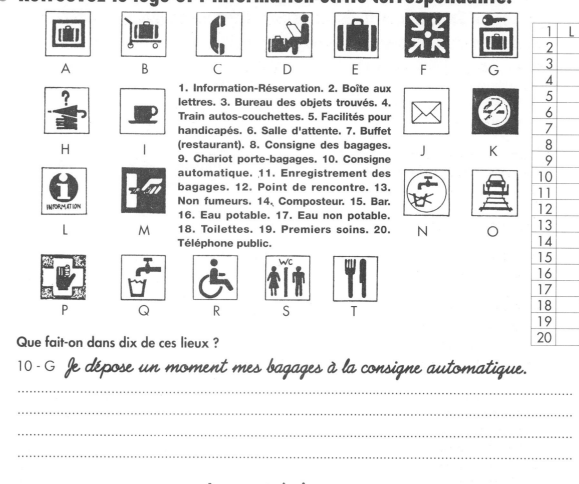

1. Information-Réservation. 2. Boîte aux lettres. 3. Bureau des objets trouvés. 4. Train autos-couchettes. 5. Facilités pour handicapés. 6. Salle d'attente. 7. Buffet (restaurant). 8. Consigne des bagages. 9. Chariot porte-bagages. 10. Consigne automatique. 11. Enregistrement des bagages. 12. Point de rencontre. 13. Non fumeurs. 14. Composteur. 15. Bar. 16. Eau potable. 17. Eau non potable. 18. Toilettes. 19. Premiers soins. 20. Téléphone public.

1	L
2	
3	
4	
5	
6	
7	
8	
9	
10	
11	
12	
13	
14	
15	
16	
17	
18	
19	
20	

Que fait-on dans dix de ces lieux ?

10 - G *Je dépose un moment mes bagages à la consigne automatique.*

....

....

....

....

Jeux et énigmes

4. **A** Voici deux mots

1. *Un papa* : c'est un père de famille.
2. *Un papillon.*
Avec, on peut faire un troisième mot :
3. *Un papapillon, qu'est-ce que c'est ?*
C'est un papillon père de famille.

B Continuez avec ces deux mots
1. Une larme.
2. Une armoire : c'est un meuble pour ranger.
3. Une larmoire, qu'est-ce que c'est ?
C'est ....

C
1. Un hippopotame.
2. Un hippodrome : c'est un champ de course pour les chevaux.
3. ....
Qu'est-ce que c'est ?
C'est ....

D
1. Un guépard.
2. Une guitare : c'est un instrument de musique.
3. ....
Qu'est-ce que c'est ?
C'est ....

Celui de, celle de, ceux de, celles de

5. **Voici l'interview d'une vedette de cinéma. Retrouvez ses réponses et complétez-les.**

A - Quels films aimez-vous ? `2`

B - Avez-vous une tendresse particulière pour un de vos rôles ? ☐

C - Quel film vous a intéressé ces derniers temps ? ☐

D - Y a-t-il un cinéma étranger que vous aimez particulièrement ? ☐

E - Quels paysages aimez-vous ? ☐

F - Qu'est-ce que vous détestez ? ☐

G - L'opinion des gens est-elle importante pour vous ? ☐

H - Votre plus beau rôle ? ☐

`1` Le passage de l'heure d'été à .... hiver ! Je déteste ! C'est idiot !

`2` Ceux de Charlie Chaplin encore et toujours !

`3` Ça dépend, ... mes amis est importante pour moi, ... autres moins.

`4` Ces dernières années, j'ai aimé .... Alan Parker, *Birdy*, l'homme oiseau.

`5` .... mon pays, l'Algérie. Mais j'aime aussi .... ici, ils sont doux, ils me reposent..

`6` Pour .... mon dernier film ! Toujours ! Je quitte difficilement un rôle..

`7` Le cinéma africain. C'est un cinéma mal connu mais c'est .... pro-chaines années.

`8` Je ne l'ai pas encore joué ! Ce sera .... un personnage âgé. J'aime les rôles de personnes qui ont vécu.

6. **Complétez, utilisez "en train de".**

– Marie a récité ses leçons ?

- Non, elle est en train de les apprendre.

– C'est le train de Paris ?

- Oui, dépêchez-vous, ...

– C'est lui le coupable ?

- On ne sait pas, on ....

– La séance est terminée ?

- Oui, ...
....

– Vous partez aujourd'hui ?

- Oui, ...
....

– Elle vient, oui ou non ?

- Attendez, ...
....

Y, quel, celui de, etc. (synthèse)

7. Faites un dialogue à partir de la situation proposée.

1. Tu vas au cinéma demain avec Elsa
à la séance de l'après-midi.

– *Tu vas au cinéma demain ?*
– *Oui, j'y vais avec Elsa.*
– *A quelle séance ?*
– *A celle de l'après-midi*

2. Tu es allé à Marseille hier
avec Germain, par l'avion de midi.

....
....
....
....

3. Tu n'es pas allé(e) à la fac ce matin,
tu as manqué le cours d'histoire.

....
....

4. Elle est allée à l'église hier avec sa mère,
à la messe du soir.

....
....

> **Télévision :** mercredi 19 septembre
> à 20 h 35
> "La marche du siècle"
> de J.-M. Cavada.
> Le thème de cette semaine : les voies
> de la liberté, avec R. Badinter et M. Halter.

– *M. Badinter, participerez-vous à l'émission "La marche du siècle" ?*
– *Oui, j'y participerai avec M. Halter.*
– *Sur quel thème ?*
– *Sur celui des voies de la liberté.*

> Le maire de Paris et le ministre de la
> Culture le 15 octobre au Grand Palais pour
> l'inauguration de l'exposition Picasso.

> **Fête de la musique :**
> Renaud et Manu Dibango
> à La Défense

....
....
....
....
....
....

Conseils

8. Dites ce qu'il faut faire et ce qu'il ne faut pas faire pour bien dormir.

1	PAS DE GROS REPAS LE SOIR
2	PAS D'ALCOOL - PAS DE TABAC
3	PAS D'EFFORT PHYSIQUE AVANT DE SE COUCHER
4	METTRE DES «BOULES QUIÈS»
5	LECTURE ET MUSIQUE DOUCE
6	PAS DE MÉDICAMENTS

Pour bien dormir, ne faites pas de gros repas le soir.
Il ne faut pas faire de gros repas le soir.

....
....
....
....

Camps de vacances

A Dans un chalet de montagne, tu pratiqueras, chaque jour, 3 heures de langue anglaise, avec les animateurs anglais et américains. Pour le frisson, tu découvriras en toute sécurité, la spéléo, l'escalade et le canoë-kayak;

Bref, tu baigneras, pendant toutes les vacances, dans un vrai bain de langue anglaise. See you soon !

Âge : 11-15 ans

Effectif : 30

Dates : du 3 au 17 juillet 1990
du 20 août au 3 septembre 1990

Transport : train

TARIF : 3 035 F TOUT COMPRIS

B Une véritable mission spatiale, avec entraînement physique et technique, notions d'astronomie, réparation d'un circuit en microgravité, entraînement en apesanteur, communications spatiales, et le dernier jour, pilotage de la navette spatiale Hermès en salle de contrôle et en cabine simulateur de vol.

Dates : du 21 au 27 juillet 1990

Transport : train

TARIF : À l'étude selon attribution de subventions

C La première semaine sera consacrée à un stage de voile pour débutants ou non (4,20 - 4,70 - Catamaran).

Puis, avec ton "Passeport Francopholies", tu assisteras avec tes animateurs à la totalité du festival des Francopholies, super festival de vedettes françaises (Renaud, Higelin, Cabrel, Mano Negra...)

Âge : 14-18 ans

Effectif : 20

Dates : du 9 au 19 juillet 1990 (à confirmer)

Transport : train

TARIF : 2 965 F TOUT COMPRIS

1 MISSION SPATIALE
ESPACE-CAMP PATRICK BEAUDRY

2 VOILES
ET FRANCOPHOLIES
LA ROCHELLE

3 MOTO-MÔMES
MONTESQUIEU VOLVESTRE
(Haute-Garonne)

4 L'ANGLAIS
À LA MONTAGNE
LA PIERRE-ST-MARTIN
(Pyrénées-Atlantiques)

5 CHANTIER DE JEUNES
ESTARRIT D'ANEU (Pyrénées espagnoles)
Aménager un sentier • Observer les grands rapaces

6 AVENTURES
DANS LES RIOS
(SIERRA DE GUARA)

D En Espagne, près de VIEILLA, dans le Val d'Aran, 25 jeunes français et espagnols aménageront un sentier qui permettra à tous les amoureux de la nature de mieux la connaître.

Nous observerons également les grands rapaces (vautour, gypaète barbu, aigles...).

L'autre partie du séjour sera consacrée à des activités sportives, à la découverte des canyons de la Sierra et à la participation aux fêtes locales.

Co-organisation : Escola de Natura d'Esterrit d'Aneu

Âge : 14-18 ans   **Effectif :** 25

Dates : du 3 au 22 juillet 1990   **Transport :** train et bus

TARIF : 2 765F TOUT COMPRIS

E D'abord sur circuit balisé et protégé, sous la responsabilité de spécialistes, tu apprendras les techniques de conduite d'une Yamaha PW 50 ou d'un PX 80 (mini-motos), puis en fin de séjour, tu partiras en rando sur un vrai circuit de 60 km !!!

Tu pourras également te baigner, faire du tennis et du poney ! Super, non ?

Âge : 6-12 ans   **Effectif :** 30

Dates : du 9 au 23 juillet 1990
23 juillet au 6 août 1990

Transport : train et car

TARIF : 3 135F TOUT COMPRIS

F   **13-16 ans**
L'univers fabuleux des canyons espagnols : le Barazil, le Barces, Barranco du Mescun, la Peonara, Estrecho de Tamara, Rio Vero. Des séjours tout l'été de 13 jours. Dates et tarifs : nous consulter.

1. Comprenez le sens général.

• Rendez son titre à chaque texte.   A **4**   B ☐   C ☐   D ☐   E ☐   F ☐

• Dans quelle région française se font ces stages ? ....

• À qui sont-ils destinés ? .... Jusqu'à quel âge ? ....

• Quels stages ont lieu à l'étranger ? .... Où ? ....

• Quel(s) stage(s) choisir ?

Si vous désirez • un séjour de moins de 10 jours ☐   Si vous aimez • l'astronautique ☐

• apprendre une langue étrangère ☐   • les spectacles ☐

• partir en août ☐   • la mer ☐

2. Relisez le slogan de "Léo" et dites quelles sont les activités proposées qui développent chacun des thèmes suivants.

La découverte du milieu naturel : ....

Connaître, apprendre plus dans un domaine précis : ....

Faire des rencontres, créer des amitiés : ....

Oser, partir à l'aventure : ....

Le voyageur magnifique

La ville où ils vivent est immense.

Une ville d'Europe occidentale où dans des rues et des avenues circulent des millions de gens. Les corps se frôlent, se cherchent, s'évitent aussi. Des regards hésitent en se croisant dans les escalators. Parfois, un poème est écrit au dos d'un carton de bière puis apporté à une personne seule qui semble attendre en tournant interminablement sa cuiller dans une tasse de café. Mais peut-être aime-t-elle être seule et n'attendre personne...

La solitude.

Chacun pourrait en parler, à sa manière, à sa souffrance. Mais souvent les mots ne suffisent pas. Ils ne peuvent raconter cela, cette misère de se sentir débranché de tout, vivant au même rythme que le désordre du monde, sans rien avoir à imaginer de lumineux pour lutter contre cette agonie... Alors, il y a le silence, qui n'est pas le mutisme. Le silence.

Cette ville qui porte un nom est avant tout une ville. Avec le bruit et la multitude, des morceaux de ciel qui se découpent entre les toits des immeubles et des bouts de rues qui ne sont jamais des horizons. On pourrait dire que tous les pays sont réunis là, tant de races s'y croisent pour prononcer les mots du monde avec des accents différents... Taxi ! Station ! Métro ! Café !

....

Le jour de la rencontre d'Adrien et de Miléna, un anticyclone protégeait la ville dont nous parlons, ainsi que le pays tout entier, de perturbations annoncées au-dessus de l'Irlande et de l'Atlantique Nord.

C'est dire le bleu du ciel et les berges du fleuve envahies de corps pâles venus rencontrer le soleil.

La troisième guerre mondiale n'avait pas encore de date, la seconde s'était terminée une quarantaine d'années auparavant, et dans des circonstances aussi exceptionnelles, on n'hésitait pas à prononcer les mots de « douceur de vivre ».

Yves Simon, Éd. Grasset.

- Relevez les mots qui permettent de savoir :
  - où est située cette ville : ....
  - si elle est grande ou petite : ....
- Deux mots expriment (d'après Y. Simon) les sentiments éprouvés par les gens dans une grande ville. Écrivez-les : ....
- Quels mots Yves Simon oppose-t-il à ces deux premiers mots ?

....

- Quels sont les deux ou trois éléments caractéristiques de cette ville concernant :
  - les gens ? ....

....

  - la ville elle-même ? ....

....

- Votre impression sur cette ville est-elle : négative ? ☐

positive ? ☐

- À votre avis, quelle est cette ville ? ....
- Quelles photos des pages 42 et 43 du livre vous paraissent bien correspondre à ce texte ? ....

Correspondance

1. Vous créez, pour un magazine, une page publicitaire.

issima aquasérum
L'hydratation combat les rides.

LE PREMIER JOUR : LE PLAISIR.
Dès la première application,
la peau absorbe
issima aquasérum comme
une pluie bienfaisante.
Elle renaît, elle revit.

QUELQUES JOURS PLUS TARD
L'EFFET.
C'est déjà visible,
l'épiderme est plus lisse,
plus éclatant.

AU BOUT D'UN MOIS :
LES RÉSULTATS.
Le visage est plus ferme,
certaines rides ont disparu,
d'autres se sont estompées.
En effet, au bout d'un mois, et
chez 100 % des sujets testés,
la diminution de la profondeur
des rides est significative :
elle peut atteindre 67 %.
Une ride qui diminue de 67 %
cela se voit !

ÊTRE
GUERLAIN

GUERLAIN
PARIS

Lisez cette publicité.

- À qui s'adresse-t-elle ?
  à un public masculin ? ☐   à un public féminin ? ☐
- De quel âge ? ....
- Où est-elle publiée ? ....
- Nom du produit : .... marque : .... À quoi sert-il ? ....
- Quand et comment agit-il ? ....
....

Correspondance

Rédigez la fiche technique.

Quel produit ?	un produit alimentaire	☐
	un produit de beauté	☐
	un produit d'entretien	☐
	un objet d'utilisation courante	☐
	autre...	☐

Pour qui ?	....
Décrivez	....
le public	....
auquel il	....
s'adresse.	....

Son nom : ....

Sa marque : ....

À quoi sert-il ? ....

....

....

Indiquez par des mots ses avantages :

Noms : ....

Adjectifs : ....

Verbes : ....

Rédigez le texte de votre publicité. Choisissez un des modèles.

SLOGAN
4 À 5 PHRASES QUI DÉCRIVENT LES QUALITÉS DU PRODUIT

SLOGAN
UNE PHRASE CLÉ + UNE AUTRE PHRASE EXPLICATIVE
UNE PHRASE CLÉ + UNE AUTRE PHRASE EXPLICATIVE

SLOGAN
MOT CLÉ + 1 OU 2 PHRASES EXPLICATIVES
MOT CLÉ + 1 OU 2 PHRASES EXPLICATIVES
MOT CLÉ + 1 OU 2 PHRASES EXPLICATIVES

Slogan : ....

Texte publicitaire : ....

Décrivez pour le maquettiste l'organisation souhaitée pour votre page publicitaire (couleurs - photo - dessin - place du slogan - place du texte).

....

....

....

....

....

....

La mélodie de la phrase

1. Indiquez les mélodies et les niveaux. Attention à la ponctuation.

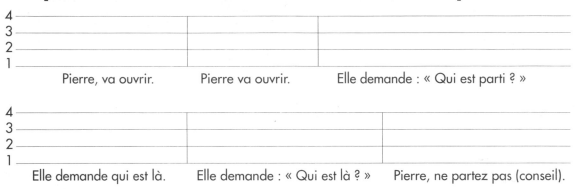

4			
3			
2			
1			
	Pierre, va ouvrir.	Pierre va ouvrir.	Elle demande : « Qui est parti ? »

4			
3			
2			
1			
	Elle demande qui est là.	Elle demande : « Qui est là ? »	Pierre, ne partez pas (conseil).

2. Complétez.

4			
3			
2			
1			
	Il a vendu/sa maison.	Alors Manuel,/descends vite.	Alors Manuel, est-ce que ça va ?

Jouez juste !

Objectif : bien entendre et bien prononcer les semi-voyelles dans les expressions de temps.

		[yyy... i]		[www... a]	
janvier	[je]	nuit	[ɥi]	soir	[wa]
février	[je]	juin	[ɥɛ̃]	nuit noire	[ɥi-wa]
il y a...	[ja]	depuis	[ɥi]		
juillet	[jɛ]	juillet	[ɥi]		
		minuit	[ɥi]		

[j] (yod) 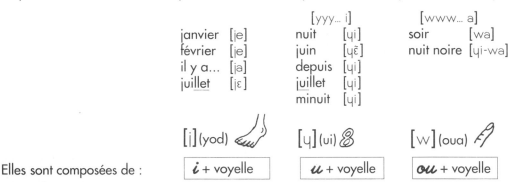   [ɥ] (ui)   [w] (oua)

Elles sont composées de :

i + voyelle	*u* + voyelle	*ou* + voyelle

3. Prononcez :

pl		pluie	m		moi	l		loin
bR		bruit	t		toi	m		moins
s	[y... y... i]	suit	b	[u... u... a]	boit	p	[u... u... ɛ̃]	point
l		lui	k		quoi ?	s		soin
p		puis	l		loi	k		coin

Correspondance son ⇄ graphie

1. Lisez et transcrivez :

1) rit, chat, vous, loup, mort, part, sort, dort.

[Ri] ....

pipe, tulipe, poulpe, note, monde, rude, bulbe.

[pip] ....

2) [pap], [ʃɔp], [minyt], [tiRad], [ɔd], [fuRb].

pape, ...

[bɔbin], [dam], [viɲ], [Riv], [fiʃ], [fuRʃ].

....

2. Lisez :

rit, rite ;	sourd, sourde ;	loupe, loup ;	mort, morte
borde, bord ;	perd, perde ;	vite, vit ;	part, parte
monte, mont ;	sort, sorte ;	rate, rat ;	barbe, baobab

3. Écoutez le professeur et indiquez d'une croix la syllabe du mot où le son apparaît.

syllabe 1
syllabe 2
syllabe 3

[u] [×][ ][ ]   [y] [ ][ ][ ]   [ø] [ ][ ][ ]

syllabe 1
syllabe 2
syllabe 3

[e] [ ][ ][ ]   [œ] [ ][ ][ ]   [ɔ] [ ][ ][ ]

4. Les consonnes inséparables.

consonne + r : br, cr, dr, fr, gr, pr, tr, vr
consonne + l : bl, cl,   fl, gl, pl, tr, vl

Soulignez les consonnes inséparables et coupez les syllabes.

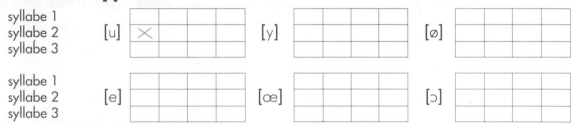

par|bleu,   pardon,   lucratif,   livreur,   abri

mordu,   perdra,   oubli,   servir,   partir

ouvrir,   vivra,   bleuir,   peuplade,   matricule

Conjugaison

1. **Vous venez de jouer à la Loterie nationale. Si vous gagnez le gros lot, qu'est-ce que vous ferez ?**

J'achèterai un voilier et je partirai avec des copains. Nous ferons le tour du monde, nous nous arrêterons partout.

....

....

Et vos parents ou vos enfants, qu'est-ce qu'ils feront ?

Ils ....

....

....

....

....

En (partitif)

2. **Qu'est-ce que vous n'avez jamais mangé, bu, goûté mais que vous voudriez bien manger, boire, goûter ?**

Du foie gras : je n'ai jamais mangé de foie gras mais je voudrais bien en manger.

(manger) ....

....

(boire) ....

....

(goûter) ....

....

Qu'est-ce que vous n'avez jamais fait et que vous voudriez bien faire ?

Je n'ai jamais acheté de voiture neuve mais je voudrais en acheter une.

(acheter) ....

(prendre) ....

(vendre) ....

Du verbe à l'adjectif (-ant, -ante)

4. **Écrivez ce qu'ils disent.**

> Affirmation du Premier ministre :
> *"Nous nous inquiétons de la situation internationale."*

Le Premier ministre affirme que la situation internationale est inquiétante.

> Déclaration de la majorité :
> *"Nous nous étonnons des affirmations de l'opposition."*

....
....
....

> Affirmation du professeur Montagné :
> *"Nous nous intéressons à toutes les formes de recherche."*

....
....
....

> Déclaration du président du club de l'Olympique de Marseille :
> *"Je ne m'étonne pas des excellents résultats des footballeurs marseillais. Ils ont un grand entraîneur."*

....
....
....
....

Jeux et énigmes

5. **Trouvez trois slogans écrits en 1968 sur les murs de l'Université.**

3 - Soyez réaliste, demandez l'impossible
2 - Ne prenez pas l'ascenseur, prenez le pouvoir
1 - Il est interdit d'interdire

99

Y et EN (lieux)

6. **Transformez ces slogans comme dans le modèle.**

Passer ses vacances en Corse,
c'est revenir heureux.

La Corse ! Passez-y vos vacances,
vous en reviendrez heureux !

Aller souvent dans les musées,
c'est revenir plus riche.

....

....

....

Partir aux îles Marquises,
c'est vivre libre et ne plus revenir.

....

....

Entrer dans les boutiques "Op"
pour acheter un mouchoir,
c'est ressortir habillé des pieds
à la tête.

....

....

....

Installer sa petite famille dans
une maison "Bouikk" c'est
vivre heureux et ne jamais repartir.

....

....

....

7. **Faites correspondre les éléments des deux colonnes.**

Il y a longtemps...
Il n'y en a plus ...
Jamais...
Après la pluie...
Longtemps, longtemps après
que les poètes ont disparu...
Ah ! que le temps me dure...
Depuis l'aube...

... leurs chansons courent encore dans les rues.
... que je t'aime.
... quand tu n'es pas là.
... jusqu'au couchant.
... pour très longtemps.
... le beau temps.
... je ne t'oublierai.

Il y a longtemps que je t'aime.

....

....

....

....

....

....

Ne ... plus

8. **Rien ne va plus entre eux ! Racontez. Utilisez "ne... plus".**

1. *Elle lui dit qu'il fume, qu'il boit, qu'il regarde toujours la télévision,*

....

....

....

....

2. ....

....

....

....

Faut/il faut — T'es/tu es — T'as/tu as — Pas/ne pas — Ya/il y a

9. **Transformez selon l'exemple.**

- On bouge pas. *On ne bouge pas.*
- Vous connaissez pas Moulin ? ....
- T'es pas malade ? ....
- Je vois pas ..., il est pas d'ici ? ....
- Ça va pas M. Dupont ? ....
- Ça va pas très bien. ....
- Faut rien dire. ....
- Non, je veux pas. ....
- Vous voulez pas sortir ? ....
- T'es une grande fille ! ....
- Y a un train à 18 h ? ....
- Faut pas mettre ton blouson. ....
- T'as pas vu Elsa ? ....

> LANGUE STANDARD
> TOUJOURS à L'ÉCRIT.
> Ne---pas.il y a---.il faut---
> tu es---. tu as---

> LANGUE FAMILIÈRE
> SOUVENT à L'ORAL.
> ---.pas.ya---.Faut---
> t'es---. t'as---.

Affiches

FÊTE DE LA MUSIQUE ?

Premier jour de l'été dans l'hémisphère nord, de l'hiver dans l'hémisphère sud, le 21 juin est devenu pour tous la Fête de la Musique.

Désormais, tous ceux qui aiment et pratiquent la musique consacrent cette journée pas comme les autres, au tournant des saisons, au plaisir de montrer au grand jour, par la voix et par le geste, la passion qui leur est commune.

Des premiers rayons du soleil jusque tard dans la nuit, vous les professionnels, vous les amateurs, vous les débutants, vous tous pour qui compte l'acte de musique, vous allez libérer les sons dans tous les lieux possibles : dans les villes et dans les villages, sur les places, dans les parcs et dans les rues, sur les stades et dans les gares, dans les écoles ou les usines, bref dans tous les lieux publics et partout où vous porte votre imagination. Bien entendu, toutes ces manifestations sont gratuites afin que ce soit la fête pour tous.

Pour préparer cette fête du solstice, allez à la rencontre les uns des autres, regroupez-vous, mettez en commun vos énergies, vos talents, vos moyens. N'oubliez pas de demander l'appui des autorités de votre ville et de votre région.

Fête de toutes les musiques en liberté, le 21 juin doit abolir les frontières entre les genres et entre les pratiques. Il appartient à chacun de vous de tenir sa juste partie dans cet immense concert des nations.

Pour tous renseignements, 3615 MUSIQUE et la Direction Régionale des Affaires Culturelles (DRAC) de votre région.

FAITES DE LA MUSIQUE !

• Relevez les 2 mots en haut et en bas du texte qui évoquent

une action : ....

un événement : ....

• Que remarquez-vous ?

....

• **Le document**

raconte un fait divers ☐
parle d'un événement religieux ☐
incite à participer à un événement ☐
donne des conseils d'hygiène ☐

• **L'événement**

Date : ....

Thème : ....

Qui participe ? ....

Où ? ....

But de l'événement : ....

• **L'action**

Qui est invité à participer ? ....

....

Qu'est-ce que les participants ont en commun ? ....

....

Que font-ils le jour de l'événement ? ....

....

Comment se préparent-ils ? ....

....

Les gorges froides

1   À la poste d'hier tu télégraphieras
2   Que nous sommes bien morts avec les hirondelles.
3   Facteur triste facteur un cercueil sous ton bras
4   Va-t'en porter ma lettre aux fleurs à tire d'elle.

R. Desnos
C'est les bottes de sept lieues cette phrase : « Je me vois »
1926, Éd. Gallimard.

• Faites la liste des objets, des animaux, des personnages puis faites la liste des actions (des verbes).

....
....
....

• Cherchez dans le texte des mots qui évoquent :

   la tristesse : ....

   la gaieté : ....

• Cherchez un ou deux vers où le poète mélange les éléments gais et les éléments tristes :

....

• Dans quel vers parle-t-on en même temps au passé et au futur ? : ....

• À tire-d'aile : s'envoler à tire-d'aile, c'est s'envoler à coups d'ailes rapides.

   Que remarquez-vous à la fin du vers 4 ? ....

• Pourquoi l'auteur l'a-t-il écrit ainsi ? ....

• Qui s'envole ? ....

• Avec quoi ? ....

• À votre avis, l'auteur :
   écrit des mots sans suite ☐ ,   raconte un rêve ☐ ,   se moque de vous ☐

2. Pour illustrer cette strophe du poème de Desnos, faites vous-même un "collage surréaliste" en découpant dans des journaux des dessins, des photos, des couleurs.

La rue

1. Lisez ce texte :

"Paris est très nerveux en ce moment..."

Les disputes parisiennes sont de cinq types principaux : la querelle au volant, la querelle de voisinage, la querelle au guichet de la Poste, la querelle d'architecture (tout projet nouveau suscite des débordements de haine), la querelle totalement gratuite qui, de loin, est la plus pratiquée. Voici un exemple de querelle totalement gratuite relevé sous abri à 10 h 32, le 12 juin 1989, chez une marchande de journaux du quartier des Abbesses.

La cliente. — Pardon, madame, je ne vois pas "Travaux d'Aiguille". Vous ne l'avez pas reçu ?

La marchande. — Non, madame.

La cliente. — Mais qu'est-ce qui se passe ? Je le prends ici tous les mois.

La marchande. — Il ne faut pas s'énerver comme cela, madame.

La cliente. — Mais c'est vous qui vous énervez, madame.

La marchande. — Ne me parlez pas sur ce ton, s'il vous plaît.

La cliente. — Mais dites donc !

La marchande. — Allez vous faire … ! *[La cliente sort.]*

La marchande [aussitôt apaisée, à un client qui assistait à la scène]. — Oh, mais les gens, je ne sais pas ce qu'ils ont en ce moment, ils sont d'une impolitesse.

Le client. — Paris est très nerveux ces temps-ci.

Alain Schifres - *Les Parisiens,*
Éd. J.C Lattès, 1990.

• Indiquez les deux mots du premier paragraphe qui ont le même sens :

....

• Complétez. Les Parisiens s'énervent quand :

1. ....

2. ....

3. ....

4. ....

5. ....

• La scène du dialogue a lieu ....

entre .... et ....

parce que ....

• Racontez en détail ce qui se passe :

....

....

....

....

....

....

....

....

2. **Vous êtes chargé(e) d'écrire le scénario d'un film. L'action se passe dans une ville. Dans une des scènes, des gens se disputent.**

• Décrivez le lieu de l'action : ....
....
....

• Décrivez les personnes qui se disputent : ....
....
....

• Dites pourquoi elles s'énervent : ....
....
....
....
....

• Faites le schéma des événements.

1. ....   3. ....
....
2. ....   4. ....
....

• Racontez en cinq ou six phrases ce qui se passe.

• Écrivez le dialogue qui sera joué par les acteurs (une dizaine de répliques).

La mélodie de la phrase

On reconnaît mieux les mélodies en les opposant. Opposons : la finalité, l'exclamation et l'appréciation (exclamative).

LA FINALITÉ   **L'APPRÉCIATION** (personnelle)

Il dit quel beau film c'est.   Il dit : "Quel beau film c'est !"

1. Indiquez les mélodies et faites les gestes correspondants.

Il dit le temps qu'il fait.   Il dit : "Quel temps il fait !"

(finalité)   (appréciation)

2. Observez. Faites bien attention au sens de la phrase.

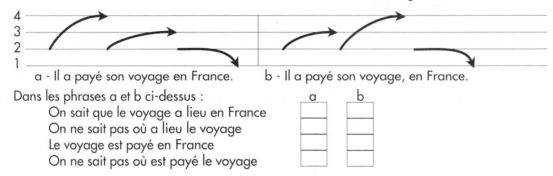

a - Il a payé son voyage en France.   b - Il a payé son voyage, en France.

Dans les phrases a et b ci-dessus :

On sait que le voyage a lieu en France
On ne sait pas où a lieu le voyage
Le voyage est payé en France
On ne sait pas où est payé le voyage

a   b

Jouez juste !

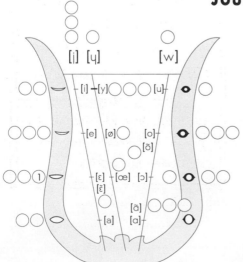

[i] [ɥ]   [w]

[i] [y] [u]

[e] [ø] [o]
[õ]

[ɛ] [œ] [ə]
[ɛ̃]

[ɑ̃]
[a] [ɑ]

3. Écrivez sur la lyre les numéros correspondant aux sons soulignés.

la saison[1,2], l'automne[3,4], l'hiver[5,6], l'été[7],

le printemps[8,9], le soleil[10,11], la pluie[12], la neige[13],

le brouillard[14,15,16], la chaleur[17,18], le froid[19], la clarté[20,21],

l'obscurité[22,23], tempéré[24,25], pluvieux[26,27], chaud[28],

brumeux[29,30], l'eau[31], le vent[32].

e stable - e̸ instable

1. **Dans ce texte soulignez *e* prononcé (stable). Rayez e̸ muet (instable).**

> Devant la porte une belle voiture verte est arrêtée, la portière ouverte. Simone, une grande fille blonde en robe blanche, est prête à partir. Elle monte, elle est contente. Elle fait un signe de la main et démarre.

• Lisez le texte à voix haute sans prononcer e̸.

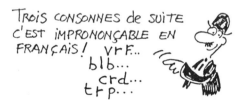

TROIS CONSONNES de SUITE C'EST IMPRONONÇABLE EN FRANÇAIS ! VrF... blb... crd... trp...

PRONONCEZ e [ə] DANS UN MOT OU UN GROUPE DE MOTS POUR ÉVITER 3 CONSONNES de SUITE.

2. **Complétez par *e* ou e̸.**

1. Un... tabl..., un... tabl... bass..., un... tabl... rond..., un... lantern... roug..., un... cart... blanch..., un... port... fermée, les lèvr...s fermées.

2. Vendr...di, sam...di, dimanch..., mercr...di. Vous compr...nez, n'est-ce pas ? J... n'ai pas d... journal. La f...nêtr... ouvert... donn... sur la cour. Votr... f...nêtr... est fermée. Votr... f...nêtr... fermée est cassée.

DE PRÉFÉRENCE PRONONCEZ e APRÈS UN SIGNE DE PONCTUATION : « NON, JE NE̸ SUIS PAS LÀ. »

N'OUBLIEZ PAS !

PRONONCEZ e [ə] :
1) APRÈS DEUX SONS CONSONNES.
2) APRÈS UNE PONCTUATION.

— NE LE FAITES PAS APRÈS UN SEUL SON CONSONNE, NI À LA FIN D'UN MOT OU GROUPE DE MOTS.

Conjugaison : l'imparfait

1. **Complétez selon l'exemple.**

MAINTENANT	AVANT, AUTREFOIS, QUAND J'ÉTAIS JEUNE.
Je suis toujours fatigué.	*Avant, je n'étais jamais fatigué.*
J'ai mal partout.	....
Je ne parle plus, je ris rarement.	....
Je ne chante plus, j'oublie tout.	....
Quand je me promène, je m'arrête	....
souvent, je suis vite fatigué.	....
Je ne peux plus rien faire.	....
Je tousse beaucoup, je respire mal,	....
je suis vieux.	....

L'imparfait et le passé composé

2. **Complétez selon l'exemple.**

LE CADRE	L'ÉVÉNEMENT	AU MÊME ENDROIT À 23 HEURES	
Hier matin, il était 9 h.	Des inconnus sont arrivés.	*Hier soir, il était 23 h.*	*Des policiers sont sortis de la discothèque.*
Il faisait beau, le ciel était bleu.	Ils ont regardé le ciel.	....	....
Dans la rue, il y avait beaucoup de circulation, les gens se dépêchaient.	Ils se sont arrêtés à l'arrêt du 92 mais ils ont changé d'avis et sont repartis à pied.	....	....
Zézidur était là en tenue de sport avec Lola la brune en tailleur vert.	Ils ont dit bonjour à Zézidur et à Lola.	....	....
Ils étaient contents, ils riaient.	Ils ont ri avec eux.	....	....
Ils partaient, ils chargaient leur voiture.	Puis les inconnus sont partis.	....	....

Moi, j'ai vu un homme qui observait la scène et je me suis dit que Zézidur était en train de faire une nouvelle bêtise.	

De l'adjectif à l'adverbe

3. **Rédigez les huit règles d'or pour rester mince.**

Repas tranquilles.	*Prenez vos repas tranquillement.*
Repos calme après le repas de midi.	*Reposez-vous* ....
Mastication lente des aliments.	*Mâchez* ....
Pesée régulière une fois par semaine.	....
Marche quotidienne pas trop rapide.	....
Pensées positives, jamais négatives.	....
Vie active pour oublier de manger.	....
Refus absolu de prendre des médicaments.	....

4. **Rédigez quatre règles d'or pour rester gros.**

....

....

....

....

Jeux et énigmes

Quel temps fait-il ?

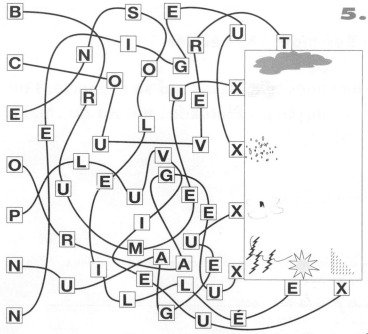

5. **Complétez les expressions avec les mots trouvés*.**

Un ciel n...........................

Une journée e.......................

Une saison p.........................

Des montagnes n...................

Un paysage b.......................

Une soirée o.........................

Un temps c...........................

* féminin des adjectifs : -eux → -euse

Le plus... le moins

6. Voici des records, récrivez-les selon le modèle.

Pays touristiques 1
Italie : 48 311 474
visiteurs par an

L'Italie est le pays le plus touristique.
C'est l'Italie qui est le pays le plus touristique.

Trains rapides 3
Le TGV (Train à Grande Vitesse)
peut aller à 480 km/h

Grandes villes 4
Mexico : 20 000 000 habitants

Routes 5
"L'axe monumental"
à Brasilia fait 250 m
de large

Continents jeunes et vieux 2
Afrique : - de 15 ans, 50 % de la population
Europe : - de 15 ans, 20 % de la population

Grands producteurs d'huîtres 8
Japon : 250 288 tonnes par an

Vieilles villes 6
Jéricho : déjà 3 000 hab.
en 7 800 av. J.-C.

Petits pays 7
Vatican : 0,5
kilomètres

Pays peuplés 9
Monaco : 17 500 hab./km^2
Sahara occidental : 0,5 hab./km^2

....

....

....

....

....

....

....

....

Des mots pour écrire

7. Cherchez les mots que vous connaissez qui se rapportent au soleil et cherchez les contraires. Placez-les autour du soleil.

Chaleur, lumière, etc.

....

....

froid, ...

....

• Faites un tout petit poème avec la première liste, ou la deuxième, ou les deux.
  Pour vous aider, voici quelques vers de Paul Éluard :

Ah ! Mille flammes, un feu, la lumière ....

Une ombre ! ....

Le soleil me suit. ....

C'est ... qui

8. **Faites des phrases, utilisez "c'est ... qui ...".**

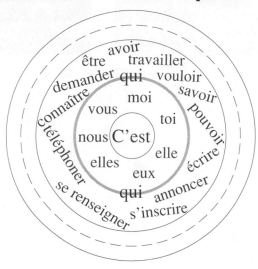

C'est <u>toi</u> qui travaille<u>s</u> cet après-midi.
C'est <u>lui</u> qui veu<u>t</u> partir au Maroc.

....
....
....
....
....

Proverbes

9. **Voici des proverbes, faites-en d'autres sur le même modèle.**

1. Après la pluie le beau temps.
Après ....
Après ....
Après ....

2. Une hirondelle ne fait pas le printemps.
Une feuille morte ....
Un rayon de soleil ....

3. Petite pluie abat grand vent.
Petit nuage abat ....
Petit vent chasse ....
....

4. Le vent est clair dans le soleil (Eluard).
Le vent est chaud ....
Le vent est noir ....
La mer ....

Campagne anti-tabac

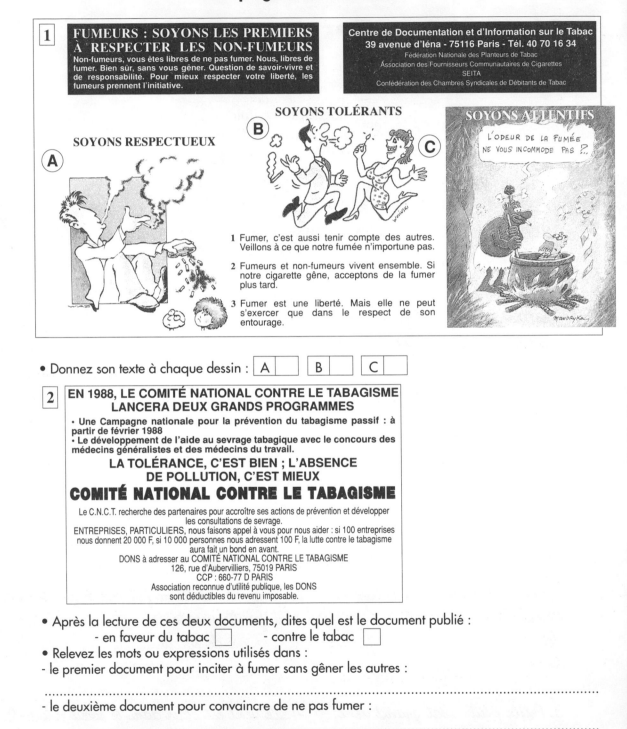

1 FUMEURS : SOYONS LES PREMIERS À RESPECTER LES NON-FUMEURS

Non-fumeurs, vous êtes libres de ne pas fumer. Nous, libres de fumer. Bien sûr, sans vous gêner. Question de savoir-vivre et de responsabilité. Pour mieux respecter votre liberté, les fumeurs prennent l'initiative.

Centre de Documentation et d'Information sur le Tabac
39 avenue d'Iéna - 75116 Paris - Tél. 40 70 16 34
Fédération Nationale des Planteurs de Tabac
Association des Fournisseurs Communautaires de Cigarettes
SEITA
Confédération des Chambres Syndicales de Débitants de Tabac

SOYONS RESPECTUEUX

SOYONS TOLÉRANTS

SOYONS ATTENTIFS

L'ODEUR DE LA FUMÉE NE VOUS INCOMMODE PAS ?

A **B** **C**

1 Fumer, c'est aussi tenir compte des autres. Veillons à ce que notre fumée n'importune pas.

2 Fumeurs et non-fumeurs vivent ensemble. Si notre cigarette gêne, acceptons de la fumer plus tard.

3 Fumer est une liberté. Mais elle ne peut s'exercer que dans le respect de son entourage.

• Donnez son texte à chaque dessin : A ☐ B ☐ C ☐

2 EN 1988, LE COMITÉ NATIONAL CONTRE LE TABAGISME LANCERA DEUX GRANDS PROGRAMMES

• Une Campagne nationale pour la prévention du tabagisme passif : à partir de février 1988
• Le développement de l'aide au sevrage tabagique avec le concours des médecins généralistes et des médecins du travail.

LA TOLÉRANCE, C'EST BIEN ; L'ABSENCE DE POLLUTION, C'EST MIEUX

COMITÉ NATIONAL CONTRE LE TABAGISME

Le C.N.C.T. recherche des partenaires pour accroître ses actions de prévention et développer les consultations de sevrage.
ENTREPRISES, PARTICULIERS, nous faisons appel à vous pour nous aider : si 100 entreprises nous donnent 20 000 F, si 10 000 personnes nous adressent 100 F, la lutte contre le tabagisme aura fait un bond en avant.
DONS à adresser au COMITÉ NATIONAL CONTRE LE TABAGISME
126, rue d'Aubervilliers, 75019 PARIS
CCP : 660-77 D PARIS
Association reconnue d'utilité publique, les DONS sont déductibles du revenu imposable.

• Après la lecture de ces deux documents, dites quel est le document publié :
   - en faveur du tabac ☐   - contre le tabac ☐

• Relevez les mots ou expressions utilisés dans :
- le premier document pour inciter à fumer sans gêner les autres :

....

- le deuxième document pour convaincre de ne pas fumer :

....

• À votre avis, laquelle de ces deux publicités a le plus gros budget ? Pourquoi ?

....

• Y a-t-il, dans votre pays, des campagnes de ce type ? ....

Désert

C'est l'eau qui est belle, aussi. Quand il commence à pleuvoir, au milieu de l'été, l'eau ruisselle[1] sur les toits de tôle[2] et de papier goudronné, elle fait sa chanson douce dans les grands bidons, sous les gouttières. C'est la nuit que la pluie vient, et Lalla écoute le bruit du tonnerre qui roule et qui grandit sur la vallée, ou bien au-dessus de la mer. À travers les interstices[3] des planches, elle regarde la belle lumière blanche qui s'allume et s'éteint sans arrêt, qui fait tressauter les choses à l'intérieur de la maison. Aamma ne bouge pas sur sa couche, elle continue à dormir la tête sous le drap, sans entendre le bruit de l'orage. Mais à l'autre bout de la pièce, les deux garçons sont réveillés, et Lalla les entend qui parlent à voix basse, qui rient sans faire de bruit. Ils sont assis sur leur matelas, et ils cherchent eux aussi à voir au-dehors, par les interstices des planches.

Lalla se lève, elle marche sans faire de bruit jusqu'à la porte, pour voir les dessins des éclairs. Mais le vent commence à souffler, et les larges gouttes froides tombent sur la terre et crépitent[4] sur le toit ; alors Lalla va se recoucher dans les couvertures, parce que c'est comme cela qu'elle aime entendre le bruit de la pluie : les yeux grands ouverts dans le noir, voyant par moments le toit s'éclairer, et écoutant toutes les gouttes frapper la terre et les plaques de tôle avec violence[5], comme si c'étaient de petites pierres qui tombaient du ciel.

J.M. G. Le Clézio
Éd. Gallimard.

1. ruisseler : couler
2. toit de tôle : toit recouvert de plaques de métal
3. interstices : petites ouvertures entre les planches
4. crépiter : faire de petits bruits secs
5. avec violence : avec beaucoup de force, très fort ≠ avec douceur.

- Quelle saison le texte évoque-t-il ? ....
- À quel moment du jour l'histoire se passe-t-elle ? ....
- Où la maison de Lalla est-elle située ? ....
- En quoi la maison et le toit sont-ils faits ? ....
- Combien d'habitants y a-t-il dans la maison ? ....
- Est-ce qu'ils dorment dans des pièces différentes ? ....
- Combien de fois le mot bruit est-il employé dans le texte ? ....
- Relevez les mots et expressions qui expriment :
  - la violence : ....
  - la douceur : ....
- Relevez les mots, les expressions qui expriment la couleur, la lumière ou l'absence de couleur et de lumière : ....

  ....
- Dites ce qui correspond à l'intérieur ou à l'extérieur de la maison :

  violence ....   lumière ....

  douceur ....   noir ....
- À votre avis, dans quel type de pays Lalla habite-t-elle ? ....
- A-t-elle peur de la pluie ? ....

Les grandes recettes de la mer

Les huîtres

Quelques conseils :

Les huîtres crues, avec une goutte de citron ou de sauce à l'échalote, c'est déjà très bon, et vous connaissez !

Mais les huîtres, ça se cuisine aussi. Une préparation toute simple délicatement mijotée et ce qui était excellent, dèvient carrément sublime et tout à fait étonnant. **Pour les cuisiner, préférez les très grosses huîtres (demandez la taille TG à votre commerçant).**

Ouvrez-les à la main ou à la chaleur en les mettant quelques minutes au four ou dans une casserole sur le feu.

HUÎTRES AU COIN DU FEU

• Calez bien les huîtres dans un plat et mettez-les au four ou mieux encore, sur de la braise si vous avez une cheminée ou un barbecue.

• Laissez-les s'ouvrir et retirez-les sans plus attendre, en enlevant délicatement leur couvercle sans les priver de leur eau. Ajoutez une noisette de beurre… et dégustez !

Cette recette simple et délicieuse a aussi l'avantage de servir de base à des gratins variés :

Gratin à l'américaine.

• Une fois les huîtres préparées "au coin du feu", saupoudrez-les de quelques grains de poivre concassé et d'un nuage de gruyère râpé. Ajoutez-y un peu de mie de pain, une lichette de beurre et faites doucement dorer dans votre four.

Gratin au curry.

• Faites une sauce légère et onctueuse en mélangeant l'eau des huîtres préalablement cuites avec un peu de crème fraîche. Ajoutez-y un doigt de curry et nappez-en les huîtres. Saupoudrez la préparation d'une pluie de chapelure fine et vite au four !

Gratin à la diable.

• Si vous voulez varier les plaisirs, remplacez le curry par de la noix de muscade râpée ou de paprika.

C'est aussi très bon.

1. **Trouvez les trois mots clés qui expliquent la fonction de ce document.**

....

....

....

Lisez attentivement le texte et faites la liste :

• des ingrédients alimentaires :
le citron, ...

....

....

....

....

• des ustensiles et des modes de cuisson utilisés :

....

....

....

• des actions à faire pour réaliser ces préparations :

....

....

....

....

2. **Choisissez un produit alimentaire couramment consommé dans votre pays, et rédigez la fiche technique.**

Nom du produit : ....

....

Description : ....

....

Comment on le consomme : ....

....

....

Nom des plats où il est utilisé :

....

....

....

Donnez quelques conseils de préparation.

Sa préparation : ....

....

....

....

Sa cuisson : ....

....

....

....

....

Sa consommation : ....

....

....

....

....

....

....

....

Composez une recette où il est utilisé.

Nom du plat : ....

....

Ingrédients :   Quantités nécessaires :

....

....

....

....

Ce qu'il faut faire :

• ....

....

• ....

....

• ....

....

• ....

....

La mélodie de la phrase

1. **Indiquez toutes les mélodies. Certaines sont imposées. Faites les gestes correspondants.**

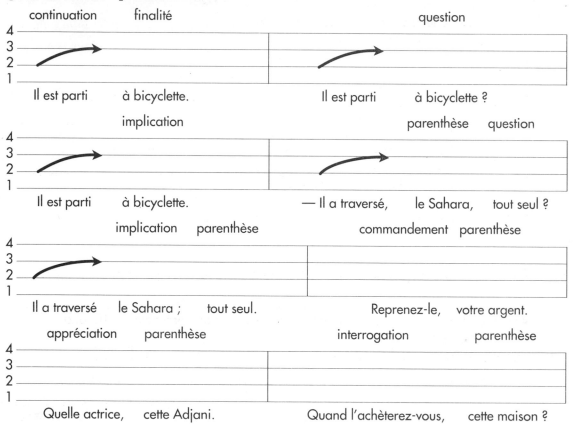

continuation   finalité   question

Il est parti   à bicyclette.   Il est parti   à bicyclette ?

implication   parenthèse   question

Il est parti   à bicyclette.   — Il a traversé,   le Sahara,   tout seul ?

implication   parenthèse   commandement   parenthèse

Il a traversé   le Sahara ;   tout seul.   Reprenez-le,   votre argent.

appréciation   parenthèse   interrogation   parenthèse

Quelle actrice,   cette Adjani.   Quand l'achèterez-vous,   cette maison ?

Jouez juste !

2. **Voici des animaux. Écrivez leur nom.**

① .... ② .... ③ ....

④ .... ⑤ .... ⑥ ....

⑦ .... ⑧ .... ⑨ ....

3. **À votre avis, à quel animal correspond chacun de ces cris ?**

houa ! houa ! ◯, meu... ! ◯, miaou ◯, cot-cot ◯, cocorico ! ◯, hi han ! ◯, cui-cui ◯, coin-coin ◯, bêêê ◯

4. **Traduisez ces cris dans votre langue.**

La graphie "ε" avec ou sans accent

1. Observez et relevez les mots avec accent(s).

> En direct à la télé : la fête du sport à Brest (Bretagne).
> Le Marocain Aouita mène la course devant l'Anglais Gram. Derrière, en maillot rouge, c'est l'Américain Arthur. En tête l'allure est rapide. Temps de passage au kilomètre : 2 min 23 secondes. C'est le dernier tour, Aouita accélère et gagne facilement dans l'excellent temps de 3 min 31 s. Gram finit à 5 secondes. Quelle belle victoire !

télé, ...

....

....

....

Classez ces mots selon leur(s) accent(s)

- é ....

....

- è ....

....

- ê ....

....

2. Relevez les mots où la lettre "e" sans accent est prononcée [ε].

e + 2 consonnes : .... e + 1 consonne double : ....
Attention : kilom<u>è</u>tre - il faut un accent devant les consonnes insécables (U.10, p.2).

3. Importance de l'accent (revoir s.o. et s.f. : U. 8, p.77).

Il sert à modifier le timbre de la voyelle, ce n'est pas un accent tonique :

e	*é* (accent aigu)	*è* (accent grave)	*ê* (accent circonflexe)
Bretagnɇ	télé	mènɇ	fêtɇ → festival
	(s.o.)	(s.f.)	(s.f.)

En syllabe ouverte → *é*
syllabe fermée → *è* ou *ê*

5. Justifiez les accents dans les mots suivants :

Écrivez (s. o.) ou (s. f.).
bébé ( ) ( ), fidèle ( ), élève ( ) ( ), pré ( ), frère ( ) téléphone ( ) ( ), j'accélère ( ) ( ), neuvième ( ), je préfère ( ) ( )

6. Placez l'accent sur "e" et justifiez.

de ( ), re-u-nir ( ), pere ( ), de-faire ( ), cede ( ), de-so-be-ir ( ) ( ), in-te-rieur ( ), e-leve ( ) ( ), ce-de ( ) ( ).

> En résumé, on trouve :
> 1. en s.o. : [e] ou [ə]
>   é ou e
> 2. en s.f. : [ε]
>   è, ê, e + 2 consonnes
>   e + 1 consonne double

Devoir + infinitif

1. Transformez en suivant le modèle.

À l'école, alerte à la bombe :
Quittez votre classe et rassemblez-vous dans la cour.

Les élèves doivent quitter leur classe et se rassembler dans la cour.

À l'agence pour l'emploi :
Pour postuler il faut être libéré des obligations militaires.

....
....
....

Annonce dans le journal :
Avant d'être engagé le candidat passera un certain nombre de tests.

....
....
....

Dans le bureau du P.-D.G. :
Si nous voulons sauver l'entreprise il faudra licencier.

....
....
....

Au siège du syndicat :
Pour sauver notre emploi il faudra se battre. Mais avant essayons de discuter avec la Direction.

....
....
....

Interview de la femme d'un gréviste :
La situation devient difficile mais il faut continuer la grève. Il ne faut pas accepter.

....
....
....

Jeux et énigmes

2. Voici les définitions de mots formant des titres de films. Pouvez-vous faire correspondre définitions et titres ?

DÉFINITIONS (DICTIONNAIRE)

A. Surface courbe couleur de sang et de feu.
B. Deux plus un primates à cerveaux volumineux et un cabas de paille tressée.
C. Le sentiment d'amour d'un animal à huit pattes.
D. Le buveur du sang des femmes mariées.
E. Un saisissement de peur dans l'obscurité entre le coucher et le lever du soleil.

TITRES

1. Le vampire de ces dames.
2. Un frisson dans la nuit.
3. Le cercle rouge.
4. Trois hommes et un couffin.
5. La tendresse de l'araignée.

A	B	C	D	E

Où ? Quand ? Comment ?

3. **Vous êtes publiciste, vous devez réaliser une publicité. Pour vous aider, voici trois listes de mots.**

Où ?

Là - Là-bas
Partout - Nulle part
Ici - Ailleurs
À la … - Au …
Chez
Loin - Tout près
Sur - Sous
etc.

Quand ?

Toujours - Jamais
Maintenant - Tout de suite
Sans arrêt
En même temps
Longtemps
Il y a… – Depuis… – Dans…
Jusqu'à …
En - Quand
Avant - Après

Comment ? Combien ?

Bien - Mal
Très - Assez
Trop - Un peu
Pas du tout
Pas tellement
Sans - Avec
Moins de …
Plus de …
Plus … – Plus …

Où ? Combien ? Quand ?

Recevez-le chez vous.
Payez moins cher et
arrêtez quand vous voulez.

Où ? Quand ?
Oubliez tout !
Partez au club !

Le soleil en hiver... C'est au club
et nulle part ailleurs !

Où ? Comment ?
Achetez-le ! Lisez-le
et voyagez partout
sans jamais bouger
de votre fauteuil !

• Vous pouvez faire une publicité pour : les voyages, le train, l'avion, une radio (Sud-Radio — France-Inter — Europe n° 1), un journal, un produit de beauté, ou pour ce que vous voulez !

....

....

4. **Voici un morceau d'une chanson de Félix Leclerc, chanteur et compositeur québécois.**

"Quand les hommes vivront d'amour
Il n'y aura plus de frontières
Les soldats seront troubadours
Mais nous, nous serons morts mes frères."

• À votre tour, sur ce modèle, faites une proposition sur l'avenir.

Quand ....

ne .... plus ....

....

Mais ....

Comment calculer son espérance de vie

Combien de temps vivrai-je ? À cette question que tout le monde n'ose pas poser, et à quoi les voyantes ne répondent qu'avec mille précautions, la science statistique propose :

• Pour vivre longtemps, qu'est-ce qui est positif ? ....

....

....

....

  • Qu'est-ce qui est négatif ? ....

....

....

....

• Qu'est-ce qui peut être à la fois négatif et positif ? ....

....

....

....

• Qu'est-ce qui correspond :
à l'hérédité ....

....

à l'alimentation ....

....

au style de vie ....

....

à l'hygiène et au confort ....

....

....

....

• Concluez : qu'est-ce qui influence le plus la durée de la vie ?

  1.................. 2. ....

• Qu'est-ce que vous devez changer dans votre vie pour vivre plus vieux ?

....

....

  • Pensez-vous que ce test est sérieux ? Pourquoi ?

....

âge	espérance de vie		ajoutez	retranchez	résultats	
					bonus	malus
15	70,7	Si vous êtes une femme	3 ans			
16	70,8					
17	70,8	Pour chacun de vos grands-parents qui a vécu plus de 80 ans ou plus	1 an			
18	70,9					
19	71					
20	71,1	Votre mère a vécu plus de 80 ans	4 ans			
21	71,1	Votre père a vécu plus de 80 ans	2 ans			
22	71,2					
23	71,3	Vous avez un frère, une sœur, un parent, décédé d'une crise cardiaque, d'une embolie, d'artériosclérose avant 50 ans				
24	71,3					
25	71,4					
26	71,5			4 ans		
27	71,6	Ils sont décédés entre 50 et 60 ans		2 ans		
28	71,6	décédés de diabète avant 60 ans		3 ans		
29	71,7	décédés d'un cancer de l'estomac				
30	71,8	avant 60 ans		2 ans		
31	71,8					
32	71,9	Vous fumez par jour				
33	72	plus de 40 cigarettes		12 ans		
34	72	entre 20 et 40 cigarettes		7 ans		
35	72,1	moins de 20 cigarettes		2 ans		
36	72,2					
37	72,2	Vous aimez avoir				
38	72,3	des relations sexuelles				
39	72,4	au moins 1 ou 2 fois par semaine	2 ans			
40	72,5					
41	72,6	Vous effectuez un examen médical complet tous les ans	2 ans			
42	72,7					
43	72,8					
44	72,9	Vous dépassez votre poids normal		2 ans		
45	73					
46	73,2	Vous dormez plus de 10 heures par nuit ou moins de 5 heures		2 ans		
47	73,3					
48	73,5					
49	73,6	Vous buvez modérément (1/2 litre de vin ou 4 verres de bière par jour)	3 ans			
50	73,8					
51	74	Vous ne buvez pas	0			
52	74,2	Vous buvez beaucoup		8 ans		
53	74,4					
54	74,7					
55	74,9	Vous prenez de l'exercice trois fois par semaine : cyclisme, marche rapide, natation, danse	3 ans			
56	75,1					
57	75,4					
58	75,7					
59	76	Vous êtes ex-universitaire, médecin, avocat	3 ans			
60	76,3					
61	76,6	Vous êtes bachelier	2 ans			
62	77					
63	77,3	Vous êtes citadin	1 an			
64	77,7	Vous êtes campagnard		1 an		
65	78,1					
66	78,4	Vous êtes marié et vivez maritalement	1 an			
67	78,9					
68	79,3	Vous êtes solitaire		9 ans		
69	79,7	Vous êtes veuf		7 ans		
70	80,2	Femme séparée ou divorcée		4 ans		
71	80,7	Femme veuve		3 ans 1/2		
72	81,2	Total				
73	81,7					
74	82,2	Résultats bonus-malus				
75	82,8					
76	83,3	Votre espérance de vie avant calculs				
77	83,9					
78	84,5	Votre résultat bonus-malus				
79	85,1					
80	85,7	Votre espérance de vie				

Document INSEE

Exercices de style

Dans cet ouvrage l'écrivain Raymond Queneau raconte la même histoire de 99 façons différentes. Voici deux de ces textes. Lisez-les, puis répondez aux questions.

Analyse logique

Autobus.
Plate-forme.
Plate-forme d'autobus. C'est le lieu.
Midi.
Environ.
Environ midi. C'est le temps.
Voyageurs.
Querelle.
Une querelle de voyageurs. C'est l'action.
Homme jeune.
Chapeau. Long cou maigre.
Un jeune homme avec un chapeau...
C'est le personnage principal.
Quidam*.
Un quidam.
Un quidam. C'est le personnage second.

Moi.
Moi.
Moi. C'est le tiers personnage. Narrateur.
Mots.
Mots.
Mots. C'est ce qui fut dit.
Place libre.
Place occupée.
Une place libre ensuite occupée. C'est le résultat.
La gare Saint-Lazare.
Une heure plus tard.
Un ami.
Un bouton.
Autre phrase entendue. C'est la conclusion.
Conclusion logique.

* quidam : une personne, quelqu'un.

Rétrograde

"Tu devrais ajouter un bouton à ton pardessus", lui dit son ami. Je le rencontrai au milieu de la Cour de Rome, après l'avoir quitté se précipitant avec avidité vers une place assise. Il venait de protester contre la poussée d'un autre voyageur, qui, disait-il, le bousculait chaque fois qu'il descendait quelqu'un. Ce jeune homme décharné était porteur d'un chapeau ridicule. Cela se passa sur la plate-forme d'un S complet ce midi-là.

- Cette histoire se déroule dans deux endroits différents. Lesquels ? ....
....
- À quelle heure ? lieu n° 1 : ....
lieu n° 2 : ....
- Combien y a-t-il de personnages ? ....
....
- Quels personnages ? ....
....
....
- Deux personnages se disputent. Lesquels ? ....
- Quelle est la cause de la dispute ? ....
....
....
- Quel est le résultat ? ....
....
....
- Qu'est-ce que le quatrième personnage explique au troisième ? ....
- À l'aide de ces deux versions, pouvez-vous raconter en quelques lignes, très simplement, l'histoire de Queneau ?
....
....
....
....
....
....
....
....

1. Lisez ce fait divers :

• Il s'agit d'un crime ☐
        d'un attentat ☐
        d'un accident ☐

• Qu'est-ce qui est à l'origine de l'événement ?

....

....

• Qui sont les victimes ?

....

....

....

• Relevez dans chaque paragraphe deux ou trois informations essentielles qui permettent de comprendre l'histoire.

....

....

....

....

....

Le pilote défenestré

La compagnie British Airways a ouvert une enquête pour savoir pourquoi le hublot du poste de pilotage d'un de ses BAC 111 a explosé à 7 300 mètres d'altitude, le 10 juin.

L'appareil avait décollé vingt minutes auparavant de Birmingham à destination de Malaga, en Espagne.

Les conséquences de la décompression explosive qui s'est ensuivie auraient pu être plus fâcheuses. Le commandant de bord qui se trouvait à proximité du hublot a été aspiré par la différence de pression et n'a dû son salut qu'à la vigueur de deux stewards qui l'ont agrippé juste à temps. Dans l'incapacité de le ramener dans le cockpit, les deux hommes ont maintenu le pilote, dont la tête et les épaules se trouvaient à l'extérieur de l'appareil, pendant que le copilote effectuait un atterrissage d'urgence sur l'aéroport de Southampton.

Le souffle de l'explosion, l'exposition à un déplacement d'air de plus de 800 km/h et à une température de moins quarante degrés ont valu au pilote des fractures à un coude, à un poignet et à un pouce ainsi qu'une main gelée. Huit des passagers, choqués par la dépressurisation, ont été hospitalisés. Les soixante-treize autres ont poursuivi leur route vers Malaga. - (AFP, UPI.)

Le Monde, 12 juin 1990

2. Vous étiez un des passagers de l'avion. Vous envoyez un télégramme à votre famille pour la rassurer.

3. Vous écrivez à un/une ami(e) pour lui raconter l'accident et lui dire que vous avez eu la chance de ne pas être blessé.

4. **Ces dessins illustrent un fait divers. Retrouvez l'ordre des événements et rédigez une légende pour chacun d'entre eux :**

1. ....
2. ....
3. ....

4. ....
5. ....
6. ....

5. **Rédigez maintenant un article d'une quinzaine de lignes pour le journal de votre ville où vous racontez cette histoire en détail.**

....
....
....
....
....
....
....
....
....
....
....

BILAN BILAN BILAN BILAN

Grammaire

Mettez dans les cases les numéros qui conviennent.

du ☐1☐, de la ☐2☐, des ☐3☐, de l' ☐4☐ →
peu de ☐1☐, beaucoup de ☐2☐, beaucoup d' ☐3☐
il y a ☐1☐, y a-t-il ☐2☐, il n'y a pas ☐3☐ →
s'il ☐1☐, qu'il ☐2☐ →
en ☐1☐, à ☐2☐ →
nos ☐1☐, vos ☐2☐, leurs ☐3☐ →
leur ☐1☐, leurs ☐2☐ →
aux ☐1☐, des ☐2☐ →
passé composé avec "être" ☐1☐, "avoir" ☐2☐ →
part. passé : é ☐1☐, i ☐2☐, u ☐3☐, i ☐4☐, is ☐5☐
ceux ☐1☐, celui ☐2☐, celle ☐3☐, celles ☐4☐ →

S'accorde avec le sujet : oui ☐1☐, non ☐2☐ →
Futur : -rai ☐1☐, -irai ☐2☐, -erai ☐3☐ →
et ☐1☐, et/un ☐2☐, moins ☐3☐ →
rien ☐1☐, quelqu'un ☐2☐, personne ☐3☐ →
quelque chose ☐1☐, personne ☐2☐, quelqu'un ☐3☐
dans ☐1☐, avance ☐2☐, retard ☐3☐, depuis ☐4☐
quels ☐1☐, quelles ☐2☐, quelle ☐3☐ →
les ☐1☐, en ☐2☐ →
non plus ☐1☐, aussi ☐2☐ →

le ☐1☐, la ☐2☐, les ☐3☐, lui ☐4☐, leur ☐5☐ →

-s ☐1☐, -t ☐2☐, -ons ☐3☐ →
moi ☐1☐, lui ☐2☐, elles ☐3☐ →
où ☐1☐, quand ☐2☐, comment ☐3☐ →
qu' ☐1☐, qui ☐2☐, à qui ☐3☐ →

J'achète ☐ viande, ☐ pain, ☐ eau, ☐ essence, ☐ fruits.
Je voudrais ☐ travail, ☐ argent, ☐ vacances.
☐ du pain, ☐ du vin ? ☐ de pain, ☐ de fruits, ☐ du fromage ?
Savez-vous ☐ y a du pain ? Pensez-vous ☐ y a du pain ? Je dis ☐ y a du pain.
Je viens ☐ pied, ☐ bicyclette, ☐ bus, ☐ moto, ☐ taxi.
Jean et moi mettons ☐ skis. Elsa et Joël enlèvent ☐ skis. Jean et toi vendez ☐ skis.
Ils prennent ☐ auto, ☐ bagages. Ils quittent ☐ maison, ☐ parents, ☐ amis.
J'ai parlé ☐ examens ☐ étudiants. Je réponds ☐ questions ☐ clients.
J' ☐ eu, j' ☐ été, je ☐ parti, elle ☐ compris, elles ☐ revenues.
dormir ☐, asseoir ☐, danser ☐, venir ☐, mettre ☐, conduire ☐.
Les jeux : ☐ des enfants - Le journal : ☐ d'hier - La réponse : ☐ de Michel -
Les vacances ☐ de l'an passé.
Je me suis levé ☐, j'ai mangé ☐, je suis parti ☐ ...
Je prend ☐, je critiqu ☐, je mett ☐, je roug ☐, je commenc ☐, je suivr ☐.
deux heures ☐ quart, deux heures ☐ le quart, deux heures ☐ demie.
Je vois ☐, je ne veux ☐, je ne parle à ☐.
Il n'écoute ☐, il veut parler à ☐, il pense à ☐.
Il a fini ☐ deux heures, il est en ☐. Il finira ☐ deux heures, il est en ☐.
☐ excursion faire, par ☐ chemins, avec ☐ personnes ?
Il me reste trois poissons. ☐ voulez-vous un ? ☐ voulez-vous tous ? J' ☐ voudrais un.
Voilà vos carottes. Et des fruits ? - J'en veux ☐ - Et des tomates ? - Non, merci.
Et de la salade ? Je n'en veux pas ☐.
Voilà Joël. Allez ☐ voir et parlez ☐. Elsa a appelé. Téléphonez-☐ et renseignez-☐.
Manon et Tiline te parlent, écoute-☐ et réponds-☐.
C'est elle qui sor ☐, c'est nous qui arriv ☐, c'est toi qui par ☐.
C'est ☐ qui partent. C'est ☐ qui s'en va. C'est ☐ qui vais rester.
☐ est-ce que vous ferez ? ☐ est-ce que vous partirez ? ☐ est-ce que vous rentrerez ?
☐ est-ce que vous téléphonerez ? ☐ est-ce que vous voulez ? ☐ est-ce qui viendra ?

Conjuguez.

	croire	suivre	mettre	devenir	falloir, il	pleuvoir il
Tu						
Ils						

Écrivez la phrase suivante :

[lezwazopaʀtãnafʀikalotɔn - ilʀəwjɛ̃dʀõopʀɛ̃tã]

124

Compréhension

Lisez les phrases suivantes et remplissez le tableau ci-dessous.

1 - Où se retrouve-t-on ?
2 - Rendez-vous dans une heure place de la République. D'accord ?
3 - Quand est-ce que je peux te revoir ?
4 - Vous tournez à droite, puis vous allez à gauche et vous y êtes !
5 - Tirez bien sur vos bras, tenez-vous droit...
6 - Cachets à prendre dans un peu d'eau, 1 heure après les repas.

7 - Pas question, vas-y toute seule !
8 - Pas aujourd'hui, demain peut-être.
9 - Oui, merci, je veux bien un café.
10 - Oui, oui, venez ! Ça ne nous dérange pas.
11 - Voulez-vous téléphoner à M. X, mademoiselle S.V.P ?
12 - Chut !
13 - La fumée ne vous dérange pas ?
14 - Je peux sortir jusqu'à minuit, maman ? S'il te plaît...
15 - Tu veux venir avec nous ?

	1	2	3	4	5	6	7	8	9	10	11	12	13	14	15
Demander si on peut faire															
Demander si on veut faire															
Demander de faire															
Dire de faire															
Accepter															
Refuser															
Donner rendez-vous															
Expliquer quelque chose															

Expression

Une excursion en Provence : la Camargue

Vous visitez la Camargue. Vous écrivez à des amis pour leur raconter votre voyage.
Dites où vous êtes aujourd'hui, ce que vous y faites, ce que vous avez fait hier et ce que vous allez faire demain.

À voir absolument***

– Parc Régional de la Camargue (visite : 1 journée)
Étendue 85.000 ha - sans doute la région la plus originale de Provence.
Réserve nationale : elle a permis de garder le paysage et le milieu naturel où évoluent les chevaux camarguais, les manades de taureaux, toute une faune d'oiseaux (flamants roses).
– Arles 50 775 hab. (visite : 1 journée). Capitale de la Camargue.
• Les arènes (70 ap. J.C.) : une des mieux conservées du monde romain.
• Le théâtre antique (20 av. J.C.).
• Musée Arlatan, mémoire de la ville, gardien des traditions provençales.
• Le boulevard des Lices, rendez-vous des Arlésiens, très animé avec ses cafés et ses terrasses (marché le samedi matin).
• L'espace Van Gogh : ancien hôpital, actuellement centre culturel. Il a été transformé pour ressembler au tableau que le peintre en avait fait lors de son séjour.

À voir**

- Aigues-Mortes : "Les eaux mortes" (visite 1 h 1/2). Ville fortifiée, créée au Moyen Âge par saint Louis, dressée solitaire, au milieu des marais.
- Les Saintes-Maries-de-la-Mer : petite ville de pêcheurs, construite autour d'une église forteresse, ville de légendes, patrie des gitans, de nombreux pèlerinages gitans y ont lieu.
- Saint-Gilles : son abbatiale est un chef-d'œuvre de l'art roman.

Quelques rendez-vous

Arles - 21-28 juillet : Festival de danse
- 1er-31 juillet : Festival de la photo
Avignon - 19-31 juillet : Festival d'Avignon
Les fourberies de Scapin de Molière
Ramayana, une fresque historique orientale.

TABLE DES MATIÈRES

REFERENCES PHOTOGRAPHIQUES

p.36 : Rapho, Doisneau; p.40h : Gamma, Marouze ; p.40m: Gamma, Bernier; p.40b : Sygma, Perrin ; p.74g: Rapho, Tulane; p.74m : Rapho, Vargues ; p.74d: Rapho, Lang ; p.94 : Walter Thompson ; p.102 : Ministère de la Culture ; p.103 : Clé-Charmet ; p.112 : Centre de Documentation sur le Tabac ; p.114 : Rapho, De Sazo.

COMPOSITION ENVERGURE

Aubin Imprimeur
LIGUGÉ, POITIERS

Achevé d'imprimer en septembre 1991
N° d'édition 10005802-II-(17)-(CABMN-80)
N° d'impression L 38684
Dépôt légal septembre 1991 / Imprimé en France